EMC
1

C'est à toi!

Second Edition

DVD Manual

EMC/Paradigm Publishing, Saint Paul, Minnesota

Credits

DVD Script	Matts Winblad
Activities	Mark Norlander
Editor	Sarah Vaillancourt
Electronic Design and Production Specialist	Matthias Frasch

ISBN 0-8219-3283-7

Published by EMC/Paradigm Publishing
875 Montreal Way
St. Paul, Minnesota 55102
800-328-1452
www.emcp.com
E-mail: educate@emcp.com

Printed in the United States of America
1 2 3 4 5 6 7 8 9 10 XXX 12 11 10 09 08 07 06

Table of Contents

Introduction iv
DVD Program Manager vii
Script   Unité 1 1
            Unité 2 4
            Unité 3 6
            Unité 4 8
            Unité 5 11
            Unité 6 15
            Unité 7 18
            Unité 8 22
            Unité 9 26
            Unité 10 29
            Unité 11 33
            Unité 12 36

Activities Unité 1 43
            Unité 2 47
            Unité 3 55
            Unité 4 61
            Unité 5 67
            Unité 6 75
            Unité 7 85
            Unité 8 93
            Unité 9 101
            Unité 10 109
            Unité 11 115
            Unité 12 123

Answer Key 131

Introduction

This manual is designed to be used with the two DVDs based on *C'est à toi! 1*. The first DVD contains *Unités 1-6* of the first-year program; the second DVD contains *Unités 7-12*. For easy access to the filmed material, each *unité* has various tracks that correspond to the scene changes. Teachers or students can view the specific scene they want by accessing the desired track. This is especially helpful for reviewing a particular segment or for quickly changing to a different track. Each *unité* is repeated with superimposed subtitles in French. Identical to the unsubtitled version, the subtitled version also has numbered tracks. This manual begins with a Program Manager (a list of timings and scene titles for each DVD track). Then comes the complete script of each DVD *unité* with numbered arrows indicating where each track begins. In the left-hand margin, arrows indicate the tracks in the script without subtitles; in the right-hand margin, arrows indicate the tracks in the subtitled version.

The videos were filmed in and around La Rochelle and Paris, France, and feature native French actors and actresses who, for the most part, are young adults studying acting in French high schools and universities. The videos present the cohesive, continuous story of three French teenagers— Leïla, Julien and Aurélie—and the ups and downs of their lives at school, at home and with their friends. Here is a brief description of these three main characters:

Leïla, a 16-year-old girl, is being raised by strict, traditional Moroccan parents. She and her family lived in a working-class suburb of Paris and have recently moved to La Rochelle. Rather quiet and timid, she is not comfortable expressing her thoughts or feelings. Since she is very intelligent and thinks seriously about her future, school and her studies are important to her. Leïla doesn't always agree with her parents and their plans for her life. She would like to become more liberated from them, more "modern" and more "French."

Julien is a handsome, friendly and outgoing 16-year-old boy who lives with his divorced mother. He is very active in sports and interested in girls. He and Aurélie have been good friends for many years. They share many of the same interests but are also somewhat competitive. Sometimes they love each other, yet at other times they despise each other. During the course of the story, Julien's personality slowly changes. He falls in love with Leïla and this love makes him more serious and introspective.

Aurélie comes from an upper middle class family and is also 16 years old. She is pretty, popular, intelligent, talkative, flirtatious and athletic. Julien has always been one of her closest friends. Aware of Julien's feelings for Leïla, Aurélie becomes jealous and possessive. Afraid of nothing, Aurélie knows what she wants in life. Her passion is films and her new videorecorder is never far from her side.

Authenticity was the primary reason for shooting the series on location in La Rochelle. We wanted to give American high school students a realistic picture of their French counterparts doing the things they do in their everyday lives. The city of La Rochelle proved to be an ideal choice because of the quality of the French spoken in this region, the friendly, cooperative spirit of its citizens and the picturesque nature of the city, its shops, streets and harbor.

Although authenticity was important, we did not want to fall into what might be described as the "slice of life" trap. We are well aware of the difficulty encountered by many teachers and students who have attempted to use ungraded video materials in the foreign language classroom. The vocabulary and structures in the scenes of this DVD program are totally coordinated with the *C'est à toi! 1* textbook, with the exception of some easily identifiable cognates. We have also adhered to the order of presentation of vocabulary and structures in *C'est à toi! 1*. Vocabulary and structures appear in a specific DVD segment only after they have been introduced in the corresponding *unité* of the textbook. Therefore, students should understand each scene after having studied the corresponding material in each *unité*.

Each of the 12 video units in this series is composed of the following elements:

Videos and their suggested uses

1. scene centered around vocabulary and structures presented in the corresponding *unité* of *C'est à toi! 1*
2. repetition of the initial scene featuring superimposed subtitles in French

I. *Scene - Initial Viewing*

The 12 units in this series have been designed to reinforce vocabulary and structures already introduced in *C'est à toi! 1*. To aid students' comprehension, the scenes are intended to be viewed several times after the corresponding unit in the textbook has been covered. The scenes have been limited to an average of eight minutes in length in order to make multiple viewings feasible.

The initial viewing of a given scene might serve as a basis for a discussion in English in which students give their first impressions of what is going on, observe cultural similarities and differences, or the teacher might ask simple comprehension questions in French. In subsequent viewings, students might first be asked to recall the characters' questions and then what answers they give. Finally, as students become more familiar with the situation, a conversation can be held in French concerning not only what the characters say, but the attitudes underlying what is said and the important cultural contrasts observed.

If time permits, students may take the video characters' parts and act them out while the video is played without audio. As a subsequent step, students might be asked to continue to play the same roles in the classroom, where they can be interviewed by other members of the class and attempt to respond "in character."

To a creative teacher and imaginative students, there are virtually no limits to the uses for the basic scene. An important principle to bear in mind is that the teacher exercises control of the DVD player, and not vice versa. The teacher can stop the DVD at any point, and show something over again. He or she may even turn off the audio, the video or both in order to give students the best possible opportunity to learn.

II. *Scene - Subtitled Version*

The subtitled version of the scene is essentially identical to the first one, the difference being that the lines spoken by the characters are now superimposed in French at the bottom of the screen. The subtitles at the bottom of the screen are also identical to the printed version of each scene found in this manual. The subtitled version visually reinforces the first scene. Students should first become familiar with the untitled version and then see the subtitled scene. In this way they must rely on their ears prior to having the added advantage of seeing the printed text in conjunction with the actions of the characters in the scene.

Activities and their suggested uses

The activities provided in the remainder of this manual are designed to check students' comprehension of the DVD both during and after viewing each *unité*. Like the DVDs themselves, they are designed to coordinate with correspondingly numbered *unités* in C'est à toi! 1. Based on the vocabulary and structures used in both the textbook and the corresponding scene, they may be handed out and assigned as written homework, done orally in class or given as a brief written quiz. All the activities are designed to be done in sequence and may involve two or three viewings of each scene. But it is not imperative that they all be done this way. The teacher can pick and choose which activities seem most appropriate within the bounds of his or her pedagogical approach, time constraints and capabilities of the students. An answer key for all the activities is located at the back of this manual. Each of the 12 *unités* is composed of the following types of activities:

1. Viewing Activities

Each of the viewing activities is designed to be used while students watch the video. Students' ability to understand both spoken French as well as non-verbal cues is evaluated.

2. Post-viewing Activities

There are two different types of post-viewing activities. The first type contains activities that check the comprehension and retention of the content of each DVD segment. The questions are usually in French and are to be answered in French, reinforcing writing skills involving vocabulary and structures presented in the textbook and recycled in the DVD.

The second type of post-viewing activities involves realia collected in La Rochelle, in Paris and from the Internet. These activities provide cultural insights into topics presented in the video as well as additional reinforcement of vocabulary and structures from each *unité* in the textbook.

DVD Program Manager

(Note: The shaded sections indicate subtitled versions.)

Unité	Description	DVD Number	Track	Time
1	Introduction	1	1	1:00
1	La carte	1	2	:32
1	Au téléphone et à mobylette	1	3	:58
1	Salutations	1	4	:17
1	Dans la cour	1	5	1:21
1	Dans la salle de classe	1	6	1:07
1	Après la classe	1	7	:56
1	Introduction	1	8	:18
1	La carte	1	9	:00
1	Au téléphone et à mobylette	1	10	:58
1	Salutations	1	11	:16
1	Dans la cour	1	12	1:21
1	Dans la salle de classe	1	13	1:07
1	Après la classe	1	14	:54
2	Au téléphone	1	15	1:03
2	Chez Aurélie	1	16	:50
2	Au téléphone	1	17	:35
2	Dans la chambre d'Aurélie	1	18	2:17
2	La mère entre	1	19	:18
2	Leïla s'en va	1	20	:19
2	Au téléphone	1	21	:49
2	Au téléphone	1	22	1:02
2	Chez Aurélie	1	23	:50
2	Au téléphone	1	24	:35
2	Dans la chambre d'Aurélie	1	25	2:17
2	La mère entre	1	26	:18
2	Leïla s'en va	1	27	:19
2	Au téléphone	1	28	:49

C'est à toi!
Level One
©EMC

DVD Manual

Program Manager

vii

Unité	Description	DVD		Time
		Number	Track	
3	Après le film	1	29	:58
3	Au café	1	30	:35
3	Leïla arrive	1	31	1:06
3	Aurélie s'en va	1	32	:26
3	Leïla et Julien	1	33	1:00
3	Après le film	1	34	:58
3	Au café	1	35	:35
3	Leïla arrive	1	36	1:06
3	Aurélie s'en va	1	37	:26
3	Leïla et Julien	1	38	:58
4	Introduction	1	39	1:00
4	La carte	1	40	:13
4	Dans la salle de classe	1	41	2:44
4	Dans la cour	1	42	2:05
4	À la cantine	1	43	1:04
4	Introduction	1	44	:00
4	La carte	1	45	:22
4	Dans la salle de classe	1	46	2:25
4	Dans la cour	1	47	2:05
4	À la cantine	1	48	1:05
5	La famille d'Aurélie	1	49	2:45
5	Dans la cuisine	1	50	:34
5	L'album de photos	1	51	1:36
5	Dans la salle à manger	1	52	:44
5	La fête d'anniversaire	1	53	1:09
5	Julien arrive	1	54	2:30
5	La famille d'Aurélie	1	55	2:45
5	Dans la cuisine	1	56	:35
5	L'album de photos	1	57	1:36
5	Dans la salle à manger	1	58	:44
5	La fête d'anniversaire	1	59	1:09
5	Julien arrive	1	60	2:27

C'est à toi!
Level One
©EMC

Unité	Description	DVD Number	Track	Time
6	En bateau	1	61	2:33
6	Le jeune couple	1	62	:45
6	Leïla arrive	1	63	:22
6	En bateau	1	64	:25
6	Christophe arrive	1	65	:28
6	Au soleil	1	66	:27
6	Au café	1	67	1:12
6	En bateau	1	68	:57
6	En bateau	1	69	2:33
6	Le jeune couple	1	70	:45
6	Leïla arrive	1	71	:22
6	En bateau	1	72	:25
6	Christophe arrive	1	73	:28
6	Au soleil	1	74	:27
6	Au café	1	75	1:13
6	En bateau	1	76	1:38
7	Introduction	2	1	1:00
7	La carte	2	2	:13
7	À la boutique	2	3	3:21
7	Julien arrive	2	4	2:00
7	Les deux sœurs	2	5	:34
7	Le client	2	6	:25
7	Le chapeau et le jean	2	7	:52
7	Aurélie et Julien	2	8	:41
7	Introduction	2	9	:00
7	La carte	2	10	:27
7	À la boutique	2	11	2:51
7	Julien arrive	2	12	2:01
7	Les deux sœurs	2	13	:34
7	Le client	2	14	:25
7	Le chapeau et le jean	2	15	:52
7	Aurélie et Julien	2	16	:43

Unité	Description	DVD Number	Track	Time
8	Dans la rue	2	17	1:53
8	Au marché de légumes	2	18	1:09
8	Au café	2	19	1:02
8	Au marché de fruits	2	20	1:18
8	Au café	2	21	:46
8	Saïd	2	22	:42
8	À la boucherie	2	23	:42
8	Sur le banc	2	24	:57
8	Au café	2	25	1:22
8	Dans la rue	2	26	1:55
8	Au marché de légumes	2	27	1:09
8	Au café	2	28	1:00
8	Au marché de fruits	2	29	1:21
8	Au café	2	30	:46
8	Saïd	2	31	:42
8	À la boucherie	2	32	:42
8	Sur le banc	2	33	:56
8	Au café	2	34	1:23
9	Chez Leïla	2	35	1:38
9	Dans le salon	2	36	1:37
9	Le tour de l'appartement	2	37	1:57
9	Dans la salle à manger	2	38	1:26
9	Dans la cuisine	2	39	1:47
9	Chez Leïla	2	40	1:37
9	Dans le salon	2	41	1:37
9	Le tour de l'appartement	2	42	1:57
9	Dans la salle à manger	2	43	1:26
9	Dans la cuisine	2	44	1:45
10	Introduction	2	45	:59
10	La carte	2	46	:13
10	Au lit	2	47	1:59
10	Au téléphone	2	48	:58
10	En classe	2	49	1:36

Unité	Description	DVD Number	Track	Time
10	La grand-mère	2	50	1:37
10	Après les cours	2	51	:17
10	Aurélie et Leïla	2	52	1:45
10	Devant le cinéma	2	53	:30
10	Introduction	2	54	:00
10	La carte	2	55	:21
10	Au lit	2	56	1:42
10	Au téléphone	2	57	:58
10	En classe	2	58	1:36
10	La grand-mère	2	59	1:38
10	Après les cours	2	60	:17
10	Aurélie et Leïla	2	61	1:44
10	Devant le cinéma	2	62	:30
11	Au café	2	63	1:25
11	Les deux filles belges	2	64	1:35
11	Julien et Christophe	2	65	2:39
11	À la plage	2	66	1:36
11	Au téléphone	2	67	1:34
11	Au café	2	68	1:24
11	Les deux filles belges	2	69	1:34
11	Julien et Christophe	2	70	2:39
11	À la plage	2	71	1:36
11	Au téléphone	2	72	1:34
12	Julien se parle à lui-même	2	73	:48
12	Chez Aurélie	2	74	:55
12	Julien arrive	2	75	:26
12	Le film d'Aurélie	2	76	3:49
12	Dans le salon	2	77	2:32
12	Julien se parle à lui-même	2	78	:49
12	Chez Aurélie	2	79	:55
12	Julien arrive	2	80	:26
12	Le film d'Aurélie	2	81	3:48
12	Dans le salon	2	82	3:12

Unité 1

Salut! Ça va?

No Subtitles   **Subtitles**

 1   *Introduction*   8

 2   *La carte*   9

     Présentateur: Voici l'Europe. Voici la France. Voici La Rochelle.

 3   *(Chez Aurélie. C'est le matin. La mère d'Aurélie parle au téléphone. Aurélie s'apprête à aller à*   10
    l'école; elle met son pull.)

     La mère d'Aurélie: Allô, oui…. Écoute, j'arrive le treize. Non, le treize. Et Jean-Paul
                               arrive le seize. Oui, oui.
     Aurélie: Au revoir, maman.

    (Sa mère continue à parler au téléphone.)

     La mère d'Aurélie: (À Aurélie.) Au revoir. Non, c'est Aurélie. Bien, d'accord. Au
                               revoir, Jacqueline. À bientôt.

 4   *(Aurélie traverse à mobylette quelques rues de La Rochelle et elle passe sur le port. Aurélie gare sa*   11
    mobylette. Elle dit bonjour à une dame.)

     Aurélie: Bonjour, Madame.
     La voisine: Bonjour, Aurélie. Ça va?
     Aurélie: Ça va bien, merci.

 5   *(Julien est à l'école avec ses copains. Il plaisante avec les filles comme d'habitude, leur faisant du*   12
    charme. Aurélie arrive dans la cour. Là, elle voit quelques copains. Elle leur dit bonjour en les
    embrassant. Un peu à l'écart, on voit Leïla. On comprend qu'elle ne connaît personne.)

     Aurélie: Bonjour, Floriane. Ça va?
     Floriane: Salut, Aurélie. Ça va?
     Nadir: Tiens, salut, Aurélie. Ça va bien?
     Aurélie: Oui, oui, ça va bien.

    (Julien aperçoit Aurélie et il lui fait des signes.)

     Julien: Aurélie! Aurélie! J'arrive.

    (Il fait un geste théâtral. Elle hausse les épaules et soupire.)

     Aurélie: Tiens, salut, Julien. Ça va?
     Julien: Oui, ça va bien.

    (Aurélie s'aperçoit de Leïla. Elle va la voir.)

     Aurélie: Bonjour. Je m'appelle Aurélie.
     Leïla: Bonjour, Aurélie.
     Aurélie: Tu t'appelles comment?
     Leïla: Leïla.

    (Julien arrive.)

Aurélie:	Julien, je te présente Leïla. Leïla, je te présente Julien.
Julien:	Bonjour, Leïla.
Leïla:	Bonjour. Pardon, c'est Julien?
Julien:	Oui, je m'appelle Julien. Ça va, Leïla?
Leïla:	Merci, ça va bien.

(Aurélie emmène Leïla vers l'école. Julien reste avec Christophe.)

Aurélie:	Ciao. À bientôt.
Julien:	D'accord. À bientôt.

(Les garçons les regardent partir. On comprend que Leïla leur a tapé dans l'œil.)

Christophe:	Elle s'appelle Leïla?
Julien:	Oui.
Christophe:	Wow!

(Un prof arrive et passe près des garçons.)

Julien et Christophe:	Bonjour, Monsieur.
Le prof:	Bonjour. Bonjour.

6 ▶ *(Dans la salle de classe il y a beaucoup d'élèves. Le professeur essaie de les compter.)* ◀ 13

Le prof:	Bon.... Silence! Un, deux, trois, quatre, cinq....

(Aurélie chuchote à Leïla en secouant la tête vers le professeur.)

Aurélie:	Il s'appelle Meunier.

(Le professeur compte les élèves. Il est interrompu une fois par l'arrivée tardive d'une élève. Il est irrité.)

Le prof:	Tiens! Bonjour, Mademoiselle. C'est Mademoiselle...?

(Le prof regarde ses papiers.)

L'élève:	Boulanger, Sabrina Boulanger.

(Elle va s'asseoir.)

Le prof:	Bonjour, Sabrina Boulanger. *(Il continue de compter.)* Six, sept, huit, neuf, dix.... Dubois, Charles?
Charles:	Oui.
Le prof:	Duval, Julien?
Julien:	Oui, Monsieur.
Le prof:	Akn.... Aknoch, Leïla?
Leïla:	Oui.
Le prof:	C'est A-C-N-O-C-H?
Leïla:	Non, Aknouch. A-K-N-O-U-C-H.

(Il le note.)

Le prof:	A-K-N-O-U-C-H?
Leïla:	Oui.
Le prof:	Merci.

(La classe est finie. Leïla et Aurélie se disent au revoir dans l'escalier. Leïla écrit son numéro de téléphone.)

Aurélie:　　　　　　　Dix-neuf.... Zéro, cinq.... Seize.

(Aurélie écrit à son tour le numéro de téléphone de Leïla.)

Leïla:　　　　　　　Douze, dix-huit.... Zéro, neuf.

(Julien s'approche d'elles. Il regarde Leïla écrire son numéro de téléphone et il note son numéro au même temps qu'Aurélie le note. Aurélie le regarde faire et elle n'a pas l'air content.)

Aurélie:　　　　　　　Bye, Leïla.
Leïla:　　　　　　　Au revoir, Aurélie.

(Après un moment d'hésitation.)

Julien:　　　　　　　Au revoir, Aurélie. Bye, Leïla.

Unité 2

Qu'est-ce que tu aimes faire?

Leila:	Allô, oui?
Julien:	C'est Leïla?
Leila:	Oui.
Julien:	Bonjour, Leïla. C'est Julien.
Leila:	Julien? Ah.... Bonjour, Julien.
Julien:	Dis, Leïla, tu aimes le cinéma?
Leila:	Oui, pourquoi?
Julien:	On passe un bon film au Dragon. Gérard Depardieu et.... Tu aimes Gérard Depardieu?
Leila:	Oui, j'aime beaucoup Depardieu.
Julien:	Alors, on y va?
Leila:	Non, c'est pas possible. L'interro, les devoirs....
Julien:	Oh, Leïla. Tu préfères étudier?
Leila:	Non, mais....
Julien:	D'accord. Bon, ben.... À demain, alors.
Leila:	Au revoir, Julien.
Julien:	Bye.

16 *(Leila frappe à la porte. La mère d'Aurélie ouvre. Elle est habillée pour sortir et elle a un sac de sport à la main.)* **23**

Leila:	Bonjour, Madame.
Mme Deschamps:	Bonjour, Leïla. Ça va?
Leila:	Ça va bien. Merci, Madame.

(Aurélie arrive.)

Aurélie:	Salut, Leïla. Ça va?

(Elles s'embrassent.)

Leila:	Bonjour, Aurélie. Ça va.
Aurélie:	*(À sa mère.)* Demain c'est l'interro. Alors, on étudie.
Mme Deschamps:	Ah bon. Et moi, je joue au tennis. *(Elle montre sa raquette.)* Au revoir, Leïla. Au revoir, Aurélie.
Leila:	Au revoir, Madame.
Aurélie:	Au revoir, maman. À bientôt.

 (Madame Deschamps s'en va. Le téléphone sonne. Aurélie répond.) **24**

Aurélie:	Allô? Oui.... Ah.... Salut! *(Elle montre l'écouteur du doigt et chuchote à Leïla.)* C'est Julien. *(Au téléphone.)* Cinéma? Non, pas possible. Leïla et moi, nous étudions. Demain, c'est l'interro. Oui. Oui. D'accord. À demain, Julien.

18 *(Leila fait le tour de la chambre. Elle regarde les posters et les photos. Elle prend une photo qui est sur le bureau et la regarde de près. C'est une photo du cousin parisien d'Aurélie. Aurélie prend son caméscope et se met à filmer Leïla quand elle regarde la photo. Leïla se retourne et lui parle.)* **25**

Leïla:	Tiens, tu aimes bien faire du cinéma?
Aurélie:	Oui, beaucoup. *(Leïla prend un CD et le regarde.)* Tu aimes bien Patricia Kaas?
Leïla:	Ah oui, beaucoup. Bon, on étudie?
Aurélie:	OK.

(Les deux filles s'asseyent à la table, sortent les livres de biologie et commencent à étudier. Aurélie bâille.)

Aurélie:	Moi, j'aime bien dormir. Je n'aime pas étudier.
Leïla:	Oh, écoute, Aurélie. Demain....
Aurélie:	Oui, oui.... Alors, Leïla, qu'est-ce que tu aimes faire? Tu aimes faire du sport?
Leïla:	Non.
Aurélie:	Tu aimes regarder la télé? Tu aimes écouter de la musique?
Leïla:	Oui, j'aime la musique.
Aurélie:	Tu aimes le rock?
Leïla:	J'aime un peu le jazz et j'aime beaucoup la musique classique.
Aurélie:	La musique classique?! Moi, j'aime le rock et le jazz.

(Elles étudient encore un petit moment. Leïla veut travailler, mais Aurélie l'interrompt tout le temps. Leïla regarde une photo qui est sur le bureau, une photo d'Aurélie et de Julien.)

Aurélie:	Tu aimes bien Julien....

(Leïla ne sait pas quelle tête faire.)

Leïla:	Julien?
Aurélie:	Oui. Moi, j'aime bien Julien. Julien aime jouer au foot, jouer au volley, il aime nager.
Leïla:	Oui, il aime le sport.
Aurélie:	Oui, c'est ça.

 (La mère d'Aurélie entre dans la chambre d'Aurélie.) ◀ 26

Mme Deschamps:	Bonjour. Ça va?
Aurélie:	Dis, maman, on invite Leïla à manger?
Mme Deschamps:	Oui. Alors, tu restes manger, Leïla?
Leïla:	Non. Non, merci, Madame. Pas possible.
Mme Deschamps:	Bon....

 (Leïla ramasse ses affaires.) ◀ 27

Aurélie:	Ciao, Leïla. À demain.
Leïla:	Au revoir, Aurélie. À demain. Et merci....

▶ 21 *(Leïla s'en va et Aurélie téléphone.)* ◀ 28

Aurélie:	Allô, Julien...? C'est Aurélie. Oui. Dis, on va au cinéma demain? On passe un film de François Truffaut au Dragon. Oui. Non, je n'aime pas beaucoup Gérard Depardieu. Oui. Oui. D'accord. À demain alors, Julien.

Unité 3

Au café

◤ 29   *(Aurélie et Julien sortent du cinéma.)*   **◢ 34**

Aurélie:	Moi, j'aime bien les films de François Truffaut. Et toi, Julien?
Julien:	Bof, comme ci, comme ça.
Aurélie:	Tu préfères les films américains?
Julien:	Oui. Dis Aurélie, j'ai faim et j'ai soif. On va au Macdo?
Aurélie:	Au Macdo? Oh non, Juju. Moi, je préfère aller au café.
Julien:	D'accord. Allons-y. Quelle heure est-il?
Aurélie:	Il est cinq heures.
Julien:	Cinq heures! Déjà.

◤ 30   *(Ils s'en vont. Julien et Aurélie s'asseyent à une table du café.)*   **◢ 35**

Julien:	Tu vas à la boum?
Aurélie:	La boum? Quelle boum?
Julien:	La boum de Muriel.
Aurélie:	Non. Et toi?
Julien:	Non, je préfère aller chez moi regarder la télé, le foot, ou....

(Le serveur arrive.)

Le serveur:	Messieurs-Dames...?
Julien:	*(En rigolant, sans demander à Aurélie.)* Pour Mademoiselle, une énorme glace.
Aurélie:	Oh, écoute, Julien.... Pour Monsieur, une petite salade. Pour les muscles.
Julien:	Oh, Aurélie....
Le serveur:	Ça ne va pas, hein?

(Le serveur secoue la tête et il s'en va. Julien s'aperçoit de Leïla de l'autre côté de la rue. Elle a été faire des courses. Julien l'appelle.)

◤ 31

Julien:	Leïla! Leïla!
Leïla:	J'arrive.... Bonjour, Aurélie.
Aurélie:	Salut, Leïla.
Leïla:	Bonjour, Julien.
Julien:	Salut, Leïla. Comment vas-tu?
Leïla:	Pas mal.

  ◢ 36

(Leïla s'assied.)

Julien:	Ça ne va pas?
Leïla:	Bof....
Julien:	Tu aimes faire du shopping, hein?
Leïla:	Non, pourquoi? C'est pour maman.

(Le serveur arrive après un petit moment.)

Le serveur:	Mademoiselle?
Leïla:	Donnez-moi un jus d'orange, s'il vous plaît.
Le serveur:	Très bien.

(Le serveur veut s'en aller.)

Julien:	Monsieur, s'il vous plaît....
Le serveur:	*(Irrité.)* Oui, alors?
Julien:	Je voudrais une quiche et une salade, s'il vous plaît. Et un coca aussi.
Le serveur:	D'accord.
Aurélie:	Et pour moi une crêpe, s'il vous plaît. Et une glace aussi.
Le serveur:	À la vanille ou au chocolat?
Aurélie:	Au chocolat, s'il vous plaît.
Le serveur:	Et comme boisson?
Aurélie:	Donnez-moi une eau minérale. Un Perrier. Tu ne manges pas, Leïla?
Leïla:	Non, je n'ai pas faim.
Aurélie:	Tu ne vas pas chez Muriel?
Leïla:	Chez Muriel?
Aurélie:	Oui, à la boum.
Leïla:	Oh non.

▶ 32 *(Ils quittent le café. Julien aide Leïla à porter ses sacs.)* ◀ 37

Julien:	Donne-moi!
Leïla:	Oh, merci.

(Aurélie les quitte.)

Aurélie:	Ciao, Julien. Ciao, Leïla.
Leïla:	Salut, Aurélie.
Julien:	Bye, Aurélie.

▶ 33 *(Julien et Leïla s'en vont ensemble. Aurélie les regarde d'un air pas très content.)* ◀ 38

Julien:	Alors, Leïla, qu'est-ce que tu aimes faire?
Leïla:	Oh, j'aime écouter de la musique et....
Julien:	Ah oui, le rock, le reggae...?
Leïla:	Non, le jazz un peu et la musique classique.
Julien:	Ah bon. Et le sport? Tu aimes?
Leïla:	Non, pas beaucoup.
Julien:	Bon, au revoir, Leïla.
Leïla:	Au revoir, Julien. Et Julien....
Julien:	Oui.
Leïla:	Merci. Merci beaucoup.

(L'autobus arrive. Leïla monte. Julien regarde l'autobus partir, pensif.)

Unité 4

À l'école

No Subtitles   **Subtitles**

 39 *Introduction*   **44**

 40 *La carte*   **45**

 41   **46**

(*Aurélie et Leïla sont assises l'une à côté de l'autre dans la salle de classe. Le cours a commencé et les élèves sont en train de travailler leurs maths. Leïla s'est mise à travailler tandis qu'Aurélie n'a pas encore commencé. Elle cherche ses affaires.*)

Aurélie:	Où est le cahier de maths?
Leïla:	Là, devant toi, sous le livre de biologie.
Aurélie:	Ah, oui. Merci, Leïla. (*Aurélie se rend compte qu'elle n'a pas de gomme.*) J'ai besoin de la trousse. Là, dans le sac à dos.

(*Elle montre son sac à dos qui est par terre à côté de Leïla. Leïla travaille et ne l'écoute pas.*)

Leïla:	Quoi? Quelle trousse?
Aurélie:	Dans le sac à dos. Je voudrais la trousse. Merci, Leïla. Qu'est-ce qu'on a à trois heures?
Leïla:	À trois heures?
Aurélie:	Oui.
Leïla:	Voilà l'emploi du temps. À trois heures on a dessin.
Aurélie:	Dessin. Tant mieux. J'aime bien le dessin.
Leïla:	Moi, je n'aime pas le dessin. Je préfère la musique.
Aurélie:	Oh, non. Moi, j'aime les cours de dessin et j'aime Monsieur Gérard.
Leïla:	Moi aussi, j'aime bien Gérard. Un bon prof, mais le dessin....

(*Aurélie regarde en arrière.*)

Aurélie:	Chut.... Madame Marchand arrive derrière.
Mme Marchand:	Ça va, les filles?
Aurélie:	Oui, très bien, Madame.
Mme Marchand:	Qu'est-ce que c'est?

(*Elle montre le livre de biologie d'Aurélie qui est sur son bureau.*)

Aurélie:	Quoi?
Mme Marchand:	Ça. Le livre là, sur le bureau. Montrez-moi!

(*Elle lui montre le livre.*)

Aurélie:	Pardon, Madame.

(*Elle met son livre dans son sac à dos.*)

Mme Marchand:	Bien, bien. Et mercredi, c'est l'interro....
Aurélie:	Oui, oui, on étudie.

(*Mme Marchand s'éloigne. Après les deux filles travaillent en silence. Julien, qui est assis un peu derrière elles, les regarde. Leïla se retourne. Leurs regards se rencontrent. Il sourit. Elle sourit. Aurélie s'en aperçoit. Elle regarde Leïla. Elle a l'air un peu étonné.*)

Aurélie:	Alors, Leïla, pourquoi tu n'aimes pas le dessin?

(Elle n'écoute pas. Elle regarde Julien et pense à autre chose.)

Leïla:	Ben....
Aurélie:	C'est super les cours de dessin!
Leïla:	Bof....

42 ▶ *(Dans la cour. Aurélie et Leïla sont ensemble. Un peu plus loin, Julien discute avec Jean.)* ◀ 47

Aurélie: Tiens, voilà Julien.

(Elle montre Julien qui est en train de parler avec Jean.)

Leïla:	Oui.... Pourquoi?
Aurélie:	Tu aimes bien Julien, hein?
Leïla:	Oh, écoute, Aurélie....

(Leïla est gênée.)

Aurélie: Moi aussi, j'aime bien Julien. J'aime beaucoup Julien. Mais Julien, il aime le sport, il aime le foot—il aime les filles.

(Julien et Jean parlent. Les deux jeunes filles se sont un peu approchées d'eux, mais les garçons ne s'en aperçoivent pas.)

Jean: Tiens, tiens, Julien.... Tu aimes bien Aurélie, et tu aimes bien Leïla aussi.

Julien: Oui, et j'aime aussi Nathalie, Julie.... Mélanie, Muriel....

(Julien rit. Leïla et Aurélie ont entendu ce que Julien a dit. Leïla a l'air mécontent, tandis qu'Aurélie sourit.)

Leïla:	*(À Aurélie.)* Julien, zut!
Julien:	Sandra, Caroline....
Aurélie:	*(Ironique.)* Alors, Jean, tu étudies les filles? Un bon professeur, hein? On va à la cantine?
Leïla:	Non, pas moi. Je ne mange pas à la cantine.
Julien:	Tu n'as pas faim?
Leïla:	Si, si, mais....
Julien:	Tu vas au fast-food? Moi aussi.
Leïla:	Non. Je préfère aller manger chez moi.
Julien:	Pourquoi?
Leïla:	Je n'aime pas le jambon. Et je n'aime pas manger à la cantine.
Aurélie:	D'accord. À bientôt.
Leïla:	Oui, à bientôt. À deux heures on a biologie.
Julien:	*(Déçu.)* À bientôt, Leïla.
Jean:	À bientôt.
Aurélie:	Toi aussi, tu as biologie à deux heures, Jean? Moi, j'en ai marre. Je n'aime pas la biologie et je n'aime pas Madame Dubois.
Jean:	Moi aussi j'ai biologie, mais moi, j'ai Madame Lanson. C'est super! Le lundi j'ai deux heures de physique et le jeudi deux heures de chimie. J'aime beaucoup les sciences. J'ai sept heures de sciences par semaine. C'est très bien.

(Les trois jeunes gens sont à la cantine. On voit des élèves qui mangent. Julien et Aurélie s'asseyent. Julien est un peu pensif. Aurélie s'en aperçoit.)

43 ▶
Julien:	Jambon. Salade.
Aurélie:	Tu aimes bien Leïla, hein?
Julien:	Oh, elle est pas mal.
◀ 48

Aurélie:	Tiens. Demain je joue au tennis au club. Tu joues aussi?
Julien:	C'est quel jour?
Aurélie:	Mardi.
Julien:	Mardi, voyons.... Mardi, c'est pas possible. Mercredi, c'est l'interro. Moi, j'en ai marre. J'aime pas les maths. Tu finis à quatre heures aussi?
Aurélie:	Non, je finis à cinq heures. À quatre heures, j'ai musique.
Julien:	D'accord. Mais samedi on va en boîte ensemble.
Aurélie:	C'est possible.
Julien:	Quelle heure est-il? On commence à deux heures, non?
Jean:	Oh, zut, il est deux heures moins le quart. On y va?

Unité 5

En famille

 49 ▶ *(Chez elle, où Aurélie est en train de filmer. On voit ce qu'elle filme et, alternativement, on la voit elle aussi.)* ◀ **55**

Aurélie:	Nous sommes le 15 septembre. C'est mon anniversaire. J'ai 17 ans. Mon grand-père et ma grand-mère sont là avec nous. *(Elle fait un zoom sur son grand-père.)* Voilà grand-père. Grand-père, c'est à toi.
Le grand-père:	Ben.... Je suis le grand-père d'Aurélie. Je suis à La Rochelle, parce que c'est son anniversaire. Je suis de Nantes. C'est à 180 kilomètres de La Rochelle. Ma femme, la grand-mère d'Aurélie, est là aussi.
Aurélie:	Merci. Tu as quel âge, grand-père?
Le grand-père:	J'ai 65 ans.

(Aurélie fait un zoom sur une dame d'une quarantaine d'années.)

Aurélie:	Et voilà ma tante Françoise. Bonjour, tante Françoise.

(Tante Françoise rit et elle a l'air un peu embarrassé.)

Tante Françoise:	Mais qu'est-ce que c'est? Ah non, Aurélie!
Aurélie:	Si, si, tante Françoise. C'est pour un film: "Ma famille." Et toi, tu es un membre de ma famille. Tu es ma tante favorite!
Tante Françoise:	Bon anniversaire, Aurélie. J'aime bien être avec vous pour ton anniversaire.
Aurélie:	Et toi, tante Françoise.... Tu as quel âge?
Tante Françoise:	*(En riant.)* Aurélie! Non!
Aurélie:	Elle a juste vingt et un ans. N'est-ce pas, tante Françoise? Elle est timide, ma tante!
Tante Françoise:	Oui, comme toi.
Aurélie:	Merci, tante Françoise.

(Elle fait un zoom sur deux jeunes gens, un garçon de 18 ans et une jeune fille de 15 ans.)

Aurélie:	Et voilà les enfants de ma tante Françoise. Je présente ma cousine Constance.... Et mon cousin Mathieu.
Mathieu:	Salut.
Aurélie:	Salut, Mathieu. Salut, Constance.
Constance:	Pourquoi, Aurélie?
Aurélie:	Eh bien, c'est mon film. Je présente mes deux cousins. Ils sont très sympa tous les deux. Ils ressemblent à leur cousine, une fille qui s'appelle....
Mathieu:	Aurélie! Et moi, je m'appelle Mathieu. Je suis le cousin d'Aurélie. Et je suis le fils de sa tante Françoise. J'ai 18 ans. Je suis de Poitiers, à 150 kilomètres de La Rochelle. Je suis très beau, très intelligent....
Aurélie:	Et très timide!

(Ils rient.)

Constance:	Et moi je suis la sœur de Mathieu, sa demi-sœur. J'ai 15 ans.
Mathieu:	Oh, oh.... 15 ans?
Constance:	15 ans en novembre.

Aurélie:	Alors, Constance, tu es timide comme ton demi-frère?
Constance:	Oh oui.
Aurélie:	Alors, Constance, tu aimes bien ton frère?

(En riant, Constance fait une grimace vers lui.)

Constance:	Oh non. Je préfère mon chien Patou. Et mon poisson rouge Glou-Glou et notre chat.
Aurélie:	Et ta cousine Aurélie.
Constance:	Ah oui, alors.
La mère d'Aurélie:	Aurélie! Aurélie!
Aurélie:	J'arrive, maman.

◀ **50** ▶ **56**

(Tout en continuant de filmer, elle va dans la cuisine. Elle fait un zoom sur ses parents. La mère d'Aurélie et son père sont en train de préparer le dîner.)

Aurélie:	Voilà mes parents. Mon père....
Le père d'Aurélie:	Bonjour, ma fille.
Aurélie:	Ma mère....
La mère d'Aurélie:	Bonjour, Aurélie. Aurélie! Les frites.
Aurélie:	D'accord, maman. On a faim, hein?

(Aurélie va s'occuper des frites. Dans le salon, la grand-mère d'Aurélie et le petit frère d'Aurélie, Éric, sont assis dans le canapé. Ils regardent un album de photos.)

◀ **51** ▶ **57**

Éric:	Alors, c'est qui?
La grand-mère:	Ça? C'est ton oncle Gérard. Mon fils. Il est beau là, n'est-ce pas?
Éric:	Ça, c'est oncle Gérard?! Le mari de tante Françoise? Mais il a les cheveux gris, oncle Gérard.
La grand-mère:	Oui, mais là il a 30 ans. Et ça....

(On voit une petite fille sur la photo. C'est une photo d'été. Elle est habillée en maillot de bain.)

La grand-mère:	C'est ta cousine Stéphanie. Sa fille.
Éric:	Ça, c'est Stéphanie?
La grand-mère:	Oui. Elle ressemble beaucoup à ta mère.
Éric:	Bof.... Comme ci, comme ça.
La grand-mère:	Si, elle a les cheveux blonds de ta mère. Et c'est en décembre.
Éric:	En décembre?! Mais....
La grand-mère:	Ils sont en vacances à la Martinique.

(Ils regardent une photo d'Aurélie, plus jeune.)

La grand-mère:	Et ça, c'est ta sœur, Aurélie.... Elle est belle là.
Éric:	Ah oui, elle est très belle.
La grand-mère:	Oui, elle ressemble beaucoup à votre père. Elle a les yeux marron de ton père. Et toi, tu as les yeux verts.
Éric:	Mais non, moi, j'ai les yeux bleus.
La grand-mère:	Non, Éric, tu as les yeux verts de ta mère.

(Une photo tombe de l'album. La grand-mère la prend et la regarde. C'est une photo de Julien.)

La grand-mère:	Oh, qu'il est beau! C'est qui?
Éric:	Ça, c'est Julien.

(Aurélie vient dans le salon. Éric l'aperçoit.)

Éric:	Aurélie aime Julien.
Aurélie:	Quoi?
Éric:	N'est-ce pas, Aurélie? Julien. Tu aimes Julien?

Aurélie: J'en ai marre.

(Elle veut prendre la photo. On voit qu'elle est gênée et pas contente. Le frère et la sœur se disputent la photo.)

Aurélie: Tu es bête, Éric, que tu es bête! Tu donnes!

(Éric finit par donner la photo à Aurélie.)

Éric: Je suis généreux parce que c'est ton anniversaire. Tiens, voilà ton Julien.

(Aurélie prend la photo, elle la regarde et la serre contre son cœur.)

Aurélie: Mon Juju.

52 ◀ ▶ **58**

(Toute la famille sont autour de la table à manger. Ils chantent "Joyeux anniversaire" pour Aurélie. Elle ouvre un paquet qui est sur son assiette.)

Aurélie: Merci beaucoup.
Le grand-père: Bon anniversaire, Aurélie.
Aurélie: Le beau cadeau! Merci, grand-père. Merci, grand-mère. Vous êtes très généreux.

(On mange, on parle et on rit. Plus tard, des copains d'Aurélie arrivent.)

53 ◀ ▶ **59**

Céline: Bonjour, Aurélie. Bon anniversaire.
Aurélie: Merci.

(Ils disent bonsoir à la famille. Aurélie leur sert des petits gâteaux et à boire. On bavarde, on rigole et on danse. Céline parle avec Aurélie.)

Céline: C'est très sympa, Aurélie. Mais, Julien, il n'est pas là?

(Elle a l'air déçu.)

Aurélie: Non.... Quelle heure est-il?
Céline: Oh, il arrive. Il est juste neuf heures et demie. Et Leïla, pourquoi elle n'est pas avec nous?
Aurélie: C'est samedi, alors.... Et ses parents....

(Elle fait un geste. La fête continue. Après un bon moment, on sonne à la porte. C'est Julien et Christophe. Ils sont accompagnés de trois jeunes filles. Julien embrasse Aurélie qui n'a pas du tout l'air content de voir les jeunes filles.)

54 ◀ ▶ **60**

Julien: Bonjour, Aurélie. Bon anniversaire. Tiens.

(Il lui donne un paquet.)

Aurélie: Merci.

(Sa réponse manque d'enthousiasme.)

Julien: Bon, je te présente Émilie, Sandrine et Julie.

(Il se trompe en les présentant. Julie rit.)

Julie: Non, c'est moi Julie.
Sandrine: Et moi, c'est Sandrine. Bon anniversaire, Aurélie.

(Aurélie embrasse Christophe.)

Christophe: Salut, Aurélie. Bon anniversaire.
Aurélie: Salut, Christophe. Merci.

(On danse, on s'amuse. Julien invite Aurélie à danser un slow. Il a l'air content, mais elle est toujours fâchée contre lui.)

Julien:	Tu danses? *(Ils dansent.)* Tu n'es pas très bavarde, Aurélie. Ça ne va pas?

(Aurélie ne répond pas. Elle fait seulement une grimace de mécontentement.)

Julien:	Tu n'aimes pas mon cadeau? Moi, j'aime bien les Rita Mitsuko. Et toi?

(Aurélie boude toujours.)

Aurélie:	Oui, mais....

(Ils dansent encore un moment sans se parler.)

Julien:	Pourquoi Leïla n'est pas là?

(Aurélie se fâche vraiment cette fois-ci.)

Aurélie:	Que tu es égoïste, Julien! Tu as déjà Sandrine, Émilie, Julie. *(Elle le quitte au milieu de la danse.)* Tu n'es pas sympa!
Julien:	Oh, écoute, Aurélie, je....

(Il fait un geste envers elle, mais elle s'en va. Lui, il la regarde un moment, puis hausse les épaules et va inviter Julie à danser.)

Unité 6

D'où viens-tu?

61 ▶ *(Julien est dans le bateau de son oncle Étienne. Ils sont en train de le préparer pour une promenade en mer. Aurélie arrive.)* ◀ **69**

Aurélie:	Bonjour, Monsieur.
Oncle Étienne:	Bonjour, Aurélie. Comment ça va?
Aurélie:	Ça va bien. Et vous?
Oncle Étienne:	Très bien.
Julien:	Salut, Aurélie. Ça va?
Aurélie:	Comme ci, comme ça.

(Julien a honte.)

Julien:	Écoute, Aurélie. Pour ton anniversaire.... Je suis bête.
Aurélie:	Oui.
Julien:	Je suis bête et méchant.
Aurélie:	Oui.

(On comprend qu'elle n'est plus aussi fâchée.)

Julien:	Pardon, Aurélie.
Aurélie:	D'accord. Il fait beau aujourd'hui.
Julien:	Oui, mais il ne fait pas beaucoup de vent.
Aurélie:	Est-ce que Leïla vient aussi?
Julien:	Possible. Quelle heure est-il?
Aurélie:	Onze heures moins le quart.

(Julien continue à s'occuper du bateau.)

Julien:	Dis, Aurélie.... Elle vient d'où, Leïla?
Aurélie:	De Paris. Elle est française.
Julien:	Oui, mais ses parents?
Aurélie:	Du Maroc. On y va? Oh, qu'il fait chaud aujourd'hui!
Julien:	Oui mais... qu'est-ce qu'ils font, ses parents?
Aurélie:	Son père travaille dans une école. Il est cuisinier. Sa mère est femme au foyer. On y va?

(Elle en a assez d'entendre parler de Leïla.)

Julien:	Oui, mais Leïla....
Aurélie:	Elle ne vient pas.
Julien:	Est-ce qu'elle a des frères, des sœurs?
Aurélie:	Qui?
Julien:	Leïla.
Aurélie:	Elle a une sœur qui a 25 ans et elle n'a pas de frère.

62 ▶ *(Un jeune homme et une fille sont sur leur bateau à côté de celui de l'oncle Étienne.)* ◀ **70**

Le jeune homme:	Bonjour. Il fait beau, n'est-ce pas?
Aurélie:	Oh, oui alors.
Le jeune homme:	C'est beau, La Rochelle. Quelle chance vous avez!

Aurélie:	Oui. D'où venez-vous?
Le jeune homme:	Moi, je viens du Canada, de Montréal. Et Amanda, elle vient des États-Unis, de Chicago.
Amanda:	Bonjour. J'aime beaucoup La Rochelle. Je viens souvent ici avec mes parents. Mon père est homme d'affaires et il voyage beaucoup en France.
Julien:	Ah, c'est pourquoi vous parlez si bien le français.
Amanda:	Merci. À La Rochelle, il y a le festival de cinéma, n'est-ce pas?
Aurélie:	Oui, en été, en juillet. Vous aimez le cinéma?
Amanda:	Oui, j'aime beaucoup le cinéma.
Le jeune homme:	Nous, on va à l'île de Ré aujourd'hui, mais il ne fait pas beaucoup de vent.
Aurélie:	Oui, mais il ne pleut pas. Il fait chaud, alors....
Le jeune homme:	Bon ben... bon tour, alors.
Aurélie:	Merci, vous aussi.

63 ▶ ◀ **71**

(Leïla arrive. Elle voit le bateau s'éloigner. Elle a l'air déçu.)

Leïla:	Oh, zut alors!

64 ▶ ◀ **72**

Aurélie:	Ah, qu'il fait beau! C'est si bon quand il fait du soleil comme aujourd'hui. J'aime les dimanches de septembre. On va à l'île de Ré?

(On voit le bateau s'éloigner vers le large. Christophe arrive à vélo.)

65 ▶ ◀ **73**

Christophe:	Leïla! Bonjour, Leïla. Ça va?
Leïla:	Bonjour, Christophe. Ça va. Et toi?
Christophe:	Moi, ça va bien. Tu viens faire un tour de vélo avec moi?
Leïla:	Oui, pourquoi pas? Mais je n'ai pas de vélo, moi.
Christophe:	J'ai un autre vélo. Tu viens?
Leïla:	D'accord. Il fait si beau aujourd'hui.

66 ▶ ◀ **74**

(Le bateau de Julien est ancré près d'une plage. Julien et Aurélie se font bronzer au soleil.)

Aurélie:	Dis, Juju.... Elle est belle, Leïla, hein?
Julien:	Oui, très.... Pourquoi?
Aurélie:	Parce que.... Et moi, je suis belle aussi, hein?

(Elle fait un geste qui montre qu'elle ne veut pas qu'il prenne sa question trop au sérieux, et pourtant on sent qu'elle veut savoir qu'il la trouve belle.)

Julien:	Oui, belle comme le jour! On y va?

(Christophe et Leïla arrivent à vélo. Ils garent leurs vélos près du café et vont s'asseoir à une table.)

67 ▶ ◀ **75**

Christophe:	Qu'il fait chaud! Moi, j'ai très soif.
Leïla:	Moi aussi.
Christophe:	Et demain c'est l'école!
Leïla:	Oui, mais moi j'aime bien l'école. Pas toi?
Christophe:	Bof.... Comme ci, comme ça. Je suis paresseux. Je n'aime pas les devoirs. Après l'école, qu'est-ce que tu voudrais faire?
Leïla:	Ben... être avocate ou médecin.
Christophe:	Moi, c'est agent de police. Mon père est agent de police et....
Leïla:	Et ta mère, quelle est sa profession?
Christophe:	Elle est coiffeuse, ma mère. Elle travaille beaucoup. Tes parents sont du Maroc?
Leïla:	Oui.
Christophe:	Et quel temps fait-il au Maroc?

Leïla:	En été il fait très, très chaud. Et en hiver il pleut, il fait souvent mauvais.
Christophe:	Oh, moi, je n'aime pas l'hiver ici à La Rochelle quand il fait froid—mais j'aime bien le temps en automne.
Leïla:	Moi aussi.
Christophe:	Dis, Leïla, tu aimes bien Julien?
Leïla:	Comme ci, comme ça. Pourquoi?
Christophe:	C'est mon ami, Julien. Il est sympa.
Leïla:	Oui.

◄ **68** (*Aurélie et Julien sont toujours en bateau.*) **76** ►

Aurélie:	Dis, Juju…. Elle aime être infirmière, ta mère?
Julien:	Oui, beaucoup.
Aurélie:	Et ton père? Il n'est pas à La Rochelle, n'est-ce pas?
Julien:	Non, il travaille à Lille. Il est dentiste. Et sa femme est dentiste aussi.
Aurélie:	Ils ont des enfants, ton père et sa femme?
Julien:	Oui, un garçon de trois ans, mon demi-frère. Il s'appelle Frédéric.
Aurélie:	Il fait un peu frais. Tu viens?

(*Julien lui met sa serviette autour des épaules et la serre contre lui.*)

Unité 7

On fait les magasins.

No Subtitles   Subtitles

 1 Introduction   **9**

2 La carte   **10**

3 *(C'est une petite boutique de vêtements modernes et jeunes. Mériam, la sœur aînée de Leïla, y travaille. Mériam est en train de s'occuper d'un client, un jeune garçon.)*   **11**

Mériam:	Bonjour.
Le client:	Bonjour.
Mériam:	Vous cherchez quelque chose?
Le client:	Je cherche un pantalon, Mademoiselle.

(Aurélie et Leïla entrent. Elles font bonjour de la main à Mériam et vont regarder des vêtements.)

Mériam:	Quelle taille faites-vous?
Le client:	Du 40.
Mériam:	Voici les pantalons. Et voici un 40.
Le client:	Non, je n'aime pas.
Mériam:	Quelle couleur préférez-vous?
Le client:	Oh... gris, marron ou beige.
Aurélie:	Moi, j'aime bien faire les magasins. Pas toi?
Leïla:	Si.
Aurélie:	Moi, j'ai besoin d'une jupe ou d'un pantalon pour samedi. Tu vas à la boum de Sandrine, toi aussi?
Leïla:	Moi, sortir le samedi soir, c'est pas possible.

(Aurélie la taquine.)

Aurélie:	Julien va être là.

(Leïla taquine à son tour.)

Leïla:	Ah, bon. Mais tant mieux pour toi.
Aurélie:	Écoute, Leïla....

(Mériam vient se joindre à elles. Aurélie et elle se disent bonjour.)

Leïla:	Mériam, je te présente Aurélie. Aurélie, voilà ma sœur Mériam.
Mériam:	Bonjour. Ça va?
Aurélie:	Très bien, merci.
Mériam:	Tu cherches quelque chose, Aurélie?
Aurélie:	Oui, je voudrais une jupe. Vous avez quoi comme jupes? Mes jupes sont vieilles. J'ai besoin d'une nouvelle jupe rouge ou marron.
Mériam:	Les jupes sont là. Viens.

(Elles vont regarder les jupes. Aurélie en prend une et l'essaie en la tenant devant elle.)

Aurélie:	Elle est jolie, n'est-ce pas? J'aime bien. J'adore la couleur. Elle est chère?
Mériam:	Non, elle est en solde. Elle coûte 49 euros.
Aurélie:	C'est un peu cher, je trouve.

Leïla:	Elle est un peu courte aussi, n'est-ce pas? Mais, c'est vrai, pour la boum et avec des bas.... Et Julien va aimer....
Aurélie:	Tu es bête, Leïla.
Mériam:	Julien, c'est qui?
Aurélie:	C'est un garçon de notre classe. Ta sœur aime beaucoup Julien. Il est beau et très sympa. Pas vrai, Leïla?
Leïla:	Oh... toi, tu aimes Julien. Pour moi, il est... il est égoïste et....

(Leïla hausse les épaules.)

Mériam:	Leïla a une photo de Julien. C'est un garçon assez grand avec des cheveux blonds, n'est-ce pas?
Aurélie:	Ah bon, Leïla? Tu as une photo de Julien?

(Leïla est très gênée. Elle ne sait pas quelle tête faire.)

Leïla:	J'ai une photo des garçons de la classe... et des filles aussi.

(Leïla et Aurélie continuent de regarder les jupes. Leïla prend une jupe et la tient devant elle en rigolant.)

Leïla:	Aurélie! J'ai une jupe pour toi.
Aurélie:	Beurk! Elle est moche! *(Aurélie trouve une autre jupe.)* Mais.... Ça, c'est peut-être quelque chose pour moi. Mais elle est assez longue. Viens, Leïla.

(Elles vont vers la cabine. Après un moment Aurélie en sort, portant la nouvelle jupe.)

Aurélie:	Alors? Elle est jolie? Tu aimes bien?
Leïla:	Ah oui, j'aime bien. Tu portes ça avec un pull rose ou blanc—ou une petite veste noire et tu vas être très jolie.

▶4 *(À ce moment, Julien entre dans la boutique. Il ne voit pas les filles mais elles le voient.)* ◀12

Leïla:	Aurélie.... Chut! Julien....

(Aurélie retourne dans la cabine où elle remet son pantalon. Julien va regarder des pantalons. Mériam s'approche de lui.)

Mériam:	Bonjour. Vous cherchez quelque chose?
Julien:	Oui, je cherche un jean.
Mériam:	Ah, mais vous êtes Julien.
Julien:	Oui, mais comment...?
Mériam:	Je suis la sœur de Leïla.
Julien:	Ah, bon. Et vous êtes vendeuse ici. Mais, comment est-ce que...?
Mériam:	Leïla a une photo de vous.
Julien:	Leïla a une photo de moi?

(Il a l'air étonné et content. Elle comprend qu'elle a gaffé et essaie de se rétracter.)

Mériam:	Elle a une photo de votre classe.

(Julien est déçu.)

Julien:	Ah, bon.
Mériam:	Alors, vous désirez un jean?
Julien:	Oui, je cherche un jean bon marché. Est-ce que vous avez des jeans en solde?
Mériam:	Oui, c'est là-bas.

(Ils vont aux jeans. À ce moment, Julien aperçoit Leïla et Aurélie.)

Julien:	Tiens! Tu es là aussi? Bonjour, Leïla.
Leïla:	Bonjour, Julien.
Julien:	Bonjour, Aurélie.
Aurélie:	Bonjour, Juju. *(À Mériam.)* Je ne vais pas acheter de jupe aujourd'hui. *(À Julien.)* Tu vas acheter un jean?
Julien:	Oui, peut-être.
Aurélie:	Moi, je cherche une jupe pour la boum samedi. Tu vas à la boum aussi?
Julien:	Oui, peut-être. Et toi, Leïla?
Leïla:	Non, pas moi.

(Julien fait un geste vers Mériam.)

Julien:	Alors, c'est ta sœur?
Leïla:	Oui, c'est Mériam. C'est ma grande sœur.

(Mériam prend un jean et le montre à Julien.)

Mériam:	Voilà un jean pour 50 euros. C'est pas cher.
Julien:	C'est ma taille?
Mériam:	C'est quoi, ta taille?
Julien:	Je fais du 36.
Mériam:	Alors, ça c'est ta taille. *(Mériam montre la cabine.)* C'est là-bas.
Julien:	Merci.

(Les trois filles l'accompagnent vers la cabine. Julien entre pour essayer son jean.)

Aurélie:	Alors, Julien, ça va? Tu es beau avec?
Leïla:	Tu montres?
Julien:	*(De la cabine.)* Non, c'est un peu grand. Est-ce que vous avez un 34?
Mériam:	Je vais chercher un 34.
Aurélie:	Alors, Julien, tu achètes quelque chose de beau pour la boum, hein? Tiens. Je vais chercher quelque chose pour toi, Leïla.

(Mériam revient avec d'autres jeans qu'elle donne à Julien dans la cabine pendant qu'Aurélie va chercher dans la boutique.)

Mériam:	Il coûte aussi 50 euros.
Julien:	Merci.

(Les deux sœurs tournent le dos vers la cabine et parlent à voix assez basse pour que personne d'autre ne les entende.)

Mériam:	Alors, Leïla, qu'est-ce que tu vas faire?
Leïla:	Pour le Maroc?
Mériam:	Oui. Est-ce que tu vas aller là-bas? Est-ce que tu vas faire comme la famille voudrait?

(Julien les regarde de la cabine et on comprend qu'il écoute ce qu'elles disent.)

Leïla:	Non, je n'aime pas Saïd.
Mériam:	Tu n'aimes pas Saïd?
Leïla:	Si, mais... pas pour.... Je voudrais étudier ici, travailler en France. Qu'est-ce que je vais faire là-bas au Maroc? Avec un cousin, avec Saïd? Je suis française, moi.
Mériam:	Mais notre famille....
Leïla:	Oh, Mériam, qu'est-ce que je vais faire?

◀ 5

▶ 13

(Elles sont interrompues par le jeune garçon, le même client qu'au début s'adresse à Mériam.)

Le client:	Mademoiselle, s'il vous plaît....
Mériam:	Oui?
Le client:	Je cherche des chaussures. Est-ce que vous vendez des tennis ou des baskets?
Mériam:	Non, mais il y a un magasin de chaussures derrière notre boutique— et il y a le centre commercial aussi.
Le client:	Très bien. Merci. Au revoir.
Mériam:	Au revoir.

(Aurélie arrive avec un grand chapeau. Elle donne le chapeau à Leïla qui le met sur sa tête. Julien sort de la cabine portant un des jeans qu'il vient d'essayer.)

Aurélie:	Tiens, un chapeau pour toi, Leïla.
Leïla:	Wow!
Aurélie:	Il est beau. Il est très beau, le jean, Julien. J'aime beaucoup. N'est-ce pas, Leïla?
Leïla:	Ah oui, il est beau.

(Julien regarde Leïla.)

Julien:	Tu es jolie. Quel beau chapeau!

(Aurélie n'est pas contente. Elle jette un regard irrité à Julien. Elle enlève le chapeau de la tête de Leïla et le garde dans les mains.)

Aurélie:	Non, il n'est pas beau.
Julien:	Aurélie, Leïla... j'ai faim. Vous venez avec moi? Je vais aller manger quelque chose au fast-food. Et après je vais jouer au tennis. On va jouer ensemble?
Leïla:	Non, je vais parler avec Mériam et après je vais étudier. Demain, il y a l'interro de chimie.
Aurélie:	Moi, je viens avec toi. Au revoir, Leïla. À demain.
Julien:	Au revoir, Leïla.
Leïla:	Au revoir.

(Ils se disent tous au revoir. Aurélie et Julien marchent lentement le long d'une rue piétonne.)

Julien:	Dis, Aurélie, elle a des problèmes, Leïla?
Aurélie:	Des problèmes? Pourquoi?
Julien:	Ben, avec son cousin Saïd et sa famille qui voudrait.... Elle va au Maroc après l'école....
Aurélie:	Mais, toi, comment tu...? Oui, c'est un grand problème pour Leïla ça. Moi aussi, j'ai faim. On va au Macdo?
Julien:	Oui, d'accord.
Aurélie:	Dis, Juju, ça va être sympa d'aller danser à la boum samedi, hein?
Julien:	Oui.

Unité 8

On fait les courses.

Aurélie:	Alors, Leïla, ça ne va pas?
Leïla:	Non. J'ai un cousin au Maroc qui s'appelle Saïd—et ma famille veut que Saïd et moi... que nous nous.... Mais moi, je ne veux pas aller au Maroc après l'école. Je veux étudier et travailler en France. Et je n'aime pas Saïd.
Aurélie:	Et tu ne peux pas parler avec tes parents?
Leïla:	Je peux parler avec ma sœur Mériam. Mais avec mes parents.... Peut-être avec maman, mais avec papa... c'est pas possible.
Aurélie:	Viens. On va prendre quelque chose ensemble au café. Tu as besoin de parler. Viens.
Leïla:	Non. Je ne peux pas manger. C'est le Ramadan. Ce soir, oui.
Aurélie:	Ça finit quand, le Ramadan?
Leïla:	Aujourd'hui. Demain soir il y a un grand repas de famille. Tu veux venir manger avec nous?
Aurélie:	Demain, jeudi?
Leïla:	Oui.
Aurélie:	Oui, merci. Est-ce que les autres vont venir? Les amis de l'école....
Leïla:	Non.
Aurélie:	Pas Julien?
Leïla:	Mais non. Je ne peux pas inviter des garçons. Maintenant je vais faire les courses.

(Leïla et Aurélie s'arrêtent dans la rue.)

Aurélie:	Alors, Leïla, qu'est-ce qu'on va manger demain soir?
Leïla:	On mange toujours du couscous à ce repas.
Aurélie:	Oh, j'adore le couscous. Alors, qu'est-ce qu'on va acheter?
Leïla:	D'abord, on va acheter des légumes. Des oignons, des carottes, des pommes de terre. Puis après... des fruits, du poulet et du pain. Beaucoup de choses.
Le marchand de légumes:	(À *Leïla*.) Mademoiselle, vous désirez?
Leïla:	Je voudrais trois kilos de pommes de terre, s'il vous plaît.
Le marchand de légumes:	Trois kilos de pommes de terre. Et avec ça?
Leïla:	Des oignons aussi.
Le marchand de légumes:	Combien d'oignons voulez-vous?
Leïla:	Un kilo. Ils coûtent combien, les oignons?
Le marchand de légumes:	C'est 1,21 € le kilo.
Leïla:	Bon. Donnez-moi un kilo. Et deux kilos de carottes aussi.
Le marchand de légumes:	Un kilo.... Et deux kilos de carottes. Et avec ça?
Leïla:	C'est tout. Ça fait combien?
Le marchand de légumes:	Alors, trois kilos de pommes de terre, 4,02 €. Un kilo d'oignons, 1,21 €. Deux kilos de carottes, 2,38 €. Ça fait 7,61 €.

(Leïla paie.)

Leïla:	Voilà.
Le marchand de légumes:	Merci, Mademoiselle.

Leïla:	Au revoir, Monsieur.
Le marchand de légumes:	Au revoir, Mademoiselle.

(Julien et Christophe sont assis sur la terrasse d'un café. Julien est silencieux et pensif. Trois jeunes filles passent devant le café. Christophe les regarde. Julien ne les regarde pas et il a toujours l'air pensif.)

Christophe:	Mais, ça ne va pas, Julien? Tu ne parles pas. Et ces jolies filles....
Julien:	Et toi, tu parles et tu parles, Christophe.
Christophe:	Ce n'est pas souvent que je suis plus bavard que toi. Ça ne va pas, hein?
Julien:	Assez, maintenant. J'en ai marre. Tu es aussi bête, non tu es plus bête que la prof de français. Et elle... elle est très, très bête.
Christophe:	Tu es méchant, Julien. Elle n'est pas si mauvaise, Madame Chevalier, mais toi.... Tu es trop paresseux.

(Aurélie et Leïla sont toujours au marché.)

Leïla:	Maintenant on va chercher des fruits.
Aurélie:	Mais tu fais souvent les courses, hein?
Leïla:	Je fais des courses pour maman. Je fais toujours les courses le mercredi matin.
Aurélie:	Mais ta mère, elle ne travaille pas, n'est-ce pas?
Leïla:	Si, elle travaille beaucoup. Elle est femme au foyer. Et papa ne fait pas beaucoup de choses pour maman. Et Mériam travaille à la boutique. Voilà une marchande de fruits. On mange toujours un fruit après le couscous.

(Les deux filles s'arrêtent devant une marchande de fruits.)

Leïla:	Bonjour, Madame.
La marchande de fruits:	Mademoiselle?
Leïla:	Combien coûtent les poires, s'il vous plaît?
La marchande de fruits:	1,49 € le kilo.
Leïla:	Elles sont mûres? *(Elle les touche.)* Oh, elles sont trop mûres. Et les pommes?
La marchande de fruits:	1,95 € le kilo, Mademoiselle.
Leïla:	Donnez-moi trois kilos, s'il vous plaît. Et les oranges, elles coûtent combien?
La marchande de fruits:	1,95 € le kilo, Mademoiselle.
Leïla:	Ah, c'est trop cher.
Aurélie:	Les raisins sont beaux, n'est-ce pas?
La marchande de fruits:	2,44 €, Mademoiselle.
Leïla:	Donnez-moi un kilo, s'il vous plaît.
La marchande de fruits:	Et avec ça?
Leïla:	C'est tout. Alors, ça fait combien?
La marchande de fruits:	8,29 €, Mademoiselle.

(Julien et Christophe sont toujours assis sur la terrasse d'un café.)

Christophe:	Ça ne va pas, hein? C'est Leïla? Et Aurélie?
Julien:	Tu ne peux pas être moins bavard?
Christophe:	D'accord, d'accord.
Julien:	Elle a un cousin au Maroc, Leïla. Et ses parents veulent qu'elle retourne là-bas après l'école. Et qu'elle et son cousin....
Christophe:	Oui, c'est moche, hein. Elle parle souvent de ça avec moi.

Julien:	Ah bon? Avec toi.... Souvent?
Christophe:	Oh, pas souvent peut-être.
Julien:	Qu'est-ce qu'on peut faire?
Christophe:	Oh, ça....

22 ▶ (*Leïla et Aurélie continuent leurs courses en ville.*) ◀ **31**

Aurélie:	Alors, Leïla, ce cousin au Maroc?
Leïla:	Oui.
Aurélie:	Il est comment? Beau? Il est sympa?
Leïla:	Beau.... (*Elle hausse les épaules.*) Sympa... peut-être. Je parle avec Saïd juste un mois en été. Quand nous sommes en vacances. Et on ne parle pas beaucoup ensemble tous les deux—parce qu'il y a toujours les autres. J'aime beaucoup ma famille et j'adore le Maroc—mais je ne veux pas être la femme de Saïd un jour.
Aurélie:	Mais... c'est ton fiancé?
Leïla:	Pour mes parents et pour ma famille, c'est mon fiancé, mais pas pour moi.

23 ▶ (*Elles s'arrêtent devant une boucherie.*) ◀ **32**

Leïla:	Tiens, voilà la boucherie. Je vais acheter un peu de bœuf.
Le boucher:	Bonjour, Mesdemoiselles.

(*Elles sortent d'une crémerie et s'asseyent sur un banc où elles attendent l'autobus de Leïla.*)

24 ▶ Aurélie: C'est sympa, je trouve, de faire les courses ensemble. Tu as tout? ◀ **33**

(*Elle regarde sa liste et Aurélie contrôle dans ses sacs qu'elle n'a rien oublié.*)

Leïla:	Alors.... Deux bouteilles d'eau minérale. Un pot de moutarde. Du yaourt. Du lait. Et une boîte de champignons. J'ai tout.
Aurélie:	Et c'est toi aussi qui fais le repas?
Leïla:	Non, c'est toujours ma mère. C'est une très bonne cuisinière, ma mère. J'adore son couscous. Mon père aussi est un bon cuisinier mais c'est sa profession, alors.... Mon bus! Bon ben... au revoir, Aurélie.
Aurélie:	À demain, Leïla, à l'école.
Leïla:	OK. Au revoir.

25 ▶ (*Julien et Christophe sont toujours assis à la terrasse du café.*) ◀ **34**

Christophe: Tiens, voilà une autre de tes amies. Aurélie!

(*Aurélie passe devant le café. Les deux garçons l'appellent et elle vient s'asseoir avec eux.*)

Julien:	Aurélie....
Aurélie:	Ça va, les garçons?
Christophe:	Ça va.
Aurélie:	Tu vas bien, Juju?

(*Elle va les embrasser.*)

Christophe:	Il n'est pas très bavard, ton Juju aujourd'hui. Il est moins bavard que moi, alors....
Julien:	Oh, Christophe! Ça va, hein?
Aurélie:	Demain soir je vais chez Leïla.
Christophe:	Tiens, Aurélie, est-ce que Leïla parle aussi avec toi de ce cousin au Maroc?

(On comprend qu'il ne veut pas parler de Leïla avec Aurélie.)

Julien: Christophe! Tu parles, tu parles et....

(Elle n'est pas contente.)

Aurélie:	Oui....
Julien:	On parle d'autre chose, hein? Je vais aller chez moi maintenant. J'ai besoin d'étudier. Tu viens, Aurélie?
Aurélie:	Oui.
Julien:	On y va?
Aurélie:	Au revoir, Christophe.
Christophe:	Au revoir, Aurélie. Julien....
Julien:	Bye, Christophe. À demain matin.
Christophe:	Au revoir, tous les deux.

(Il les regarde partir.)

Unité 9

À la maison

 (Aurélie entre chez Leïla. Leïla et elle se disent bonjour. Aurélie a apporté un bouquet de fleurs.)

Leïla:	Bonjour, Aurélie. Ça va?
Aurélie:	Bonsoir, Leïla. Ça va bien. Que tu es jolie!
Leïla:	Merci. Entre donc. Je prends ton manteau?

(Aurélie enlève son manteau et le donne à Leïla.)

Aurélie:	Merci. Il fait un peu froid ce soir.

(Elle veut donner le bouquet à Leïla.)

Leïla:	Oh, attends.... Tu vas donner les fleurs à maman. Maman!

(Les parents de Leïla et sa sœur Mériam sont là. Ils sont habillés dans des vêtements traditionnels de fête. Aurélie va d'abord serrer la main à la mère de Leïla.)

Aurélie:	Bonsoir, Madame.

(Elle donne le bouquet.)

La mère de Leïla:	Bonsoir, Aurélie. Bienvenue chez nous. Oh, c'est gentil de venir avec des fleurs. Merci. Leïla parle souvent de vous. Vous êtes une bonne amie? *(Les deux filles font oui de la tête.)* Mériam, va chercher le grand vase bleu à la fenêtre de la cuisine, s'il te plaît.

(Mériam sort du salon. En passant elle embrasse Aurélie.)

Mériam:	Bonsoir, Aurélie. Tu vas bien?
Aurélie:	Bonsoir, Mériam. Oui, très bien, merci.
Leïla:	Aurélie, je te présente mon père. Papa, je te présente Aurélie, une amie d'école.
Le père de Leïla:	Bonsoir, Mademoiselle. Enchanté.
Aurélie:	Bonsoir, Monsieur. C'est très bien, votre appartement.
Le père de Leïla:	Oui, c'est assez grand. On aime bien. À Paris, c'est moins bien. Il y a quatre pièces, la cuisine, la salle de bains. Asseyez-vous, Mademoiselle.

36 ▶ *(On s'assied dans le salon. Sur la table, il y a de jolis verres et une théière argentée.)* ◀ **41**

Le père de Leïla:	Vous prenez un peu de thé ou vous préférez peut-être du jus de fruit?
Aurélie:	Non, je veux bien un peu de thé, s'il vous plaît. Merci. C'est du thé vert?
La mère de Leïla:	Oui.

(Aurélie goûte le thé.)

Aurélie:	C'est très bon.

(Mériam arrive avec les fleurs.)

La mère de Leïla:	Elles sont très jolies, vos fleurs, Aurélie. C'est gentil.
Aurélie:	Je vous en prie, Madame.
La mère de Leïla:	Vous voulez un petit gâteau? Ce sont des gâteaux du Maroc. *(Aurélie en prend un.)* Vous aimez?

C'est à toi!
Level One
©EMC

Aurélie:	Oui, c'est très bon.
Le père de Leïla:	Vous travaillez bien à l'école, Aurélie?
Aurélie:	Oui, mais pas aussi bien que Leïla. Je suis beaucoup plus paresseuse.
Leïla:	Ce n'est pas vrai. Ça va très bien pour toi aussi.
Aurélie:	Oui, c'est vrai, mais pas aussi bien que toi. Ils sont jolis, ces verres. Ce sont des verres du Maroc?
Le père de Leïla:	Oui, ces verres viennent de ma famille.
La mère de Leïla:	Excusez-moi, j'ai encore quelques petites choses à faire dans la cuisine. Leïla, tu peux montrer l'appartement à Aurélie? On va manger dans quelques minutes. Tu viens, Mériam? On va mettre la table.
Leïla:	Tu prends un autre gâteau, Aurélie?
Aurélie:	Non, merci.
Leïla:	Viens, Aurélie. Allons dans ma chambre.

▶37 *(En allant dans sa chambre, Leïla lui montre d'autres pièces.)* 42◀

Leïla:	Voilà, à gauche c'est la salle de bains. J'aime bien parce qu'elle est grande.

(Les deux filles regardent dans la salle de bains. Après, elles passent la porte des toilettes.)

Leïla:	Et à droite, ce sont les W.-C. Et ça, c'est ma chambre. Et c'est aussi la chambre de Mériam.
Aurélie:	Vous avez une télé dans votre chambre?
Leïla:	Oui, c'est notre vieille télé en noir et blanc. Mais, moi je ne regarde pas beaucoup la télé.
Aurélie:	Alors, vous aimez habiter ici à La Rochelle?
Leïla:	Ah oui, notre appartement est plus grand. Et devant l'immeuble, il y a des arbres. Et derrière il y a un jardin. Et il y a aussi les garages.
Aurélie:	Vous avez une voiture?
Leïla:	Bien sûr, on a une petite voiture électrique.
Aurélie:	C'est très jolie, ta chambre. J'aime bien ces couleurs.
Leïla:	Moi, j'aime bien mon lit.
Aurélie:	C'est ton lit?
Leïla:	Oui.
Aurélie:	Il est super.
Leïla:	J'aime bien mon armoire aussi.
Aurélie:	Il est joli aussi, ce tapis.
Leïla:	Et ça, c'est mon petit oiseau Jeff.
Aurélie:	C'est qui, la femme sur la photo?
Leïla:	C'est ma grand-mère.
Aurélie:	Ils habitent où, tes grands-parents?
Leïla:	À Kenitra, à 90 kilomètres de Rabat.
Aurélie:	C'est comment, leur maison?
Leïla:	Oh, il n'y a pas beaucoup de choses. Ils n'ont pas la télé. Maintenant ils ont le frigo. C'est une bonne chose parce qu'il fait très, très chaud là-bas.
Aurélie:	Tu aimes bien aller là-bas?
Leïla:	Ah oui, beaucoup.
Aurélie:	Tu n'as pas de photo de ton cousin Saïd?
Leïla:	*(Assez brusquement.)* Non.
Aurélie:	Pardon. Je ne vais pas parler de Saïd. *(Aurélie regarde des CDs.)* Tu as des CDs du Maroc?
Leïla:	Oui.
Mériam:	Vous venez dans la salle à manger?

(Dans la salle à manger. Sur la table, il y a le couscous.)

Le père de Leïla:	Asseyez-vous.
Aurélie:	Oh, j'adore le couscous. Quelle jolie nappe et quelles jolies assiettes!
Leïla:	Elles viennent de ma grand-mère. Au Maroc tout le monde a des assiettes comme ça.
Aurélie:	Alors, vous aimez bien habiter ici à La Rochelle?
Le père de Leïla:	Oui, je préfère La Rochelle à Paris.
Mériam:	Ah oui, alors.
Le père de Leïla:	Mais moi, je voudrais habiter au Maroc un jour.
Aurélie:	Et vous, Madame?
La mère de Leïla:	Moi, je n'aime pas beaucoup la France. Il fait trop froid ici. Et les Français ne sont pas toujours très gentils avec nous.
Aurélie:	Ça, c'est vrai.
La mère de Leïla:	Tout le monde n'est pas aussi gentil que vous, Aurélie.
Aurélie:	Oh, je ne suis pas si gentille.
La mère de Leïla:	Si, vous êtes une vraie amie pour Leïla.
Aurélie:	Ça, c'est parce qu'elle est si gentille.
La mère de Leïla:	Mais déjà le premier jour....
Aurélie:	Oui, on est de vraies amies. Ça, c'est vrai.
Le père de Leïla:	Bon appétit.
Aurélie:	Merci, Monsieur.

(On mange. Après le repas, Leïla, sa mère et Aurélie sont à la cuisine pour faire la vaisselle et ranger la cuisine.)

Aurélie:	Quel bon repas! Vous êtes une très bonne cuisinière.
La mère de Leïla:	Merci, Aurélie.
Leïla:	Tu peux mettre les couteaux et les fourchettes ici, sur l'évier.
Aurélie:	Où est-ce que je mets le sel et le poivre?
La mère de Leïla:	Là, dans le placard. Leïla, tu mets le couscous sur le balcon? Il fait frais ce soir.
Leïla:	Oui, maman.
Aurélie:	Vous avez un micro-onde, vous aussi? Vous trouvez ça bien?
La mère de Leïla:	Bof... comme ci, comme ça.
Aurélie:	*(Elle regarde une grosse casserole spéciale qui est sur la cuisinière.)* Qu'est-ce que c'est?
La mère de Leïla:	Quoi, Aurélie?
Aurélie:	Ça, sur la cuisinière.
La mère de Leïla:	Ça, c'est le couscousier. Ici on met le couscous et ici on met le bœuf ou le poulet. *(Elle montre.)*

(Aurélie regarde par la fenêtre. Elle a l'air très étonné et regarde intensément dehors.)

Leïla:	Qu'est-ce qu'il y a?
Aurélie:	Ben, un garçon avec un vélo.... Ce n'est pas...?

(Leïla aussi regarde par la fenêtre.)

Leïla:	Mais c'est Julien! Qu'est-ce qu'il fait ici?
Aurélie:	Oui, qu'est-ce qu'il peut bien faire ici?

Unité 10

La santé

No Subtitles

Subtitles

45 ▶ *Introduction* ◀ **54**

46 ▶ *La carte* ◀ **55**

47 ▶ *(Aurélie est au lit. Sa mère ouvre la porte de sa chambre.)* ◀ **56**

La mère d'Aurélie:	Mais qu'est-ce que tu as, Aurélie? Il est déjà sept heures et demie. Il faut venir prendre ton petit déjeuner. Tu ne peux plus rester au lit.
Aurélie:	Oh, je ne suis pas en bonne forme. J'ai mal à la tête et j'ai mal à la gorge. Ça doit être la grippe ou un rhume.
La mère d'Aurélie:	Oh, mais tu es malade, ma petite Aurélie? Est-ce que tu as de la fièvre? On va prendre ta température.
Aurélie:	Attends, je n'ai pas de fièvre, mais je dois rester au lit. Je ne peux pas aller à l'école aujourd'hui.
La mère d'Aurélie:	Bon, je vais téléphoner au docteur Girard pour prendre un rendez-vous. Ou peut-être il peut venir cet après-midi.
Aurélie:	Mais non. Ce n'est peut-être rien. Je n'ai pas besoin d'un médecin. Demain je vais à l'école. C'est juste aujourd'hui que je ne suis pas en bonne forme.
La mère d'Aurélie:	D'accord. Est-ce que tu as besoin de quelque chose? Une tasse de chocolat?
Aurélie:	Ah oui, une tasse de chocolat et un peu de pain et de confiture.
La mère d'Aurélie:	D'accord.
Aurélie:	Et maman....
La mère d'Aurélie:	Oui.
Aurélie:	Je voudrais téléphoner à Leïla. Elle doit parler aux professeurs de l'école.
La mère d'Aurélie:	D'accord. Bon, je vais chez ta grand-mère. Elle vient pour le déjeuner.
Aurélie:	Ah oui, c'est vrai. On est jeudi aujourd'hui.

(Aurélie téléphone.)

48 ▶   ◀ **57**

Leïla:	Allô, oui....
Aurélie:	Allô, c'est Leïla?
Leïla:	Oui, c'est moi.
Aurélie:	C'est Aurélie.
Leïla:	Ah, salut, Aurélie. Comment vas-tu?
Aurélie:	Bof, comme ci, comme ça. Je ne vais pas à l'école aujourd'hui.
Leïla:	Ah bon? Mais, qu'est-ce que tu as? Tu es malade?
Aurélie:	Oh, je ne suis pas en bonne forme.
Leïla:	Mais tu n'es jamais malade, toi.
Aurélie:	Je ne suis pas très, très malade. J'ai un peu mal au ventre. Dis, tu peux parler à Madame Chevalier?
Leïla:	Bien sûr. Je viens chez toi cet après-midi aussitôt que l'école finit. Je viens avec tes devoirs pour demain et tes livres d'anglais. Tu veux bien? Samedi, il y a l'interro.
Aurélie:	Ah oui, je veux bien. C'est gentil, merci.

Leïla:	Bon ben, à cet après-midi.
Aurélie:	Oui. Et Leïla?
Leïla:	Oui.
Aurélie:	Dis à Julien aussi que je suis malade.
Leïla:	Oui....
Aurélie:	Bon, à cet après-midi, alors. Au revoir.
Leïla:	Ciao, Aurélie.
Aurélie:	Ciao.

▶ 49 *(Les élèves se rassemblent pour la première leçon de la journée. Leïla est assise à sa table. La place à* ◀ 58 *côté d'elle, celle d'Aurélie, est vide. C'est assez bruyant. Julien s'aperçoit que Leïla est seule et va lui parler.)*

Julien:	Salut, Leïla. Ça va?
Leïla:	Salut, Julien. Ça va. Et toi?
Julien:	Moi, ça va très bien. Dis, il est joli, ton pull.
Leïla:	Oui? Merci.
Julien:	Elle n'est pas là, Aurélie?
Leïla:	Non, elle est malade.
Julien:	Ah bon. Qu'est-ce qu'elle a?
Leïla:	Elle a mal au ventre et elle doit rester au lit.
Julien:	Ah bon. Dis, Leïla, qu'est-ce que tu fais ce soir?
Leïla:	Ce soir je fais mes devoirs. Samedi, il y a l'interro d'anglais.
Julien:	Oh, mais tu es si bonne en anglais. Tu n'as pas besoin de travailler comme ça. Il n'y a personne qui travaille comme toi. Tu ne veux pas aller au cinéma avec moi?
Leïla:	Non, je regrette, Julien, c'est pas possible. Moi, aller au cinéma avec toi.... Mes parents....
Julien:	Dis rien à tes parents. Dis que tu vas chez Aurélie, qu'elle est malade.... Que vous allez travailler ensemble, faire les devoirs pour l'interro.
Leïla:	*(Elle hésite.)* OK. Non, c'est pas possible. Bon, peut-être.
Julien:	D'accord. Alors, ce soir... sept heures devant le cinéma le Dragon. C'est oui, hein?

(Leïla ne dit rien. Elle lui fait un sourire et elle a l'air de dire ni oui, ni non. Le prof entre dans la salle. Julien doit se dépêcher de trouver sa place. Aurélie est toujours au lit. Elle est en train de regarder une photo de Julien. Elle soupire et elle a l'air triste. Quelqu'un frappe à la porte. Très vite, elle cache la photo de Julien sous la couverture.)

▶ 50 | Aurélie: | Entrez. *(La porte s'ouvre et sa grand-mère entre dans la chambre.)* ◀ 59 |
| | Bonjour, grand-mère. |
| La grand-mère: | Oh là là, ma petite Aurélie. Ça ne va pas bien? |

(Elle s'assied au bord du lit.)

Aurélie:	Bof, j'ai un peu mal au cœur.
La grand-mère:	Ah, tu as mal au cœur. Tu n'as pas mal à la tête, tu n'as pas la grippe? Ta maman....
Aurélie:	Oh, j'ai.... J'ai un peu mal à la tête aussi. Pas trop....

(La grand-mère passe sa main sur son front.)

| La grand-mère: | Tu n'as pas de fièvre, tu n'as pas si mauvaise mine. Mais qu'est-ce que tu as? Tiens. C'est pour toi. |

(La grand-mère lui donne une poche.)

| Aurélie: | Qu'est-ce que c'est? |
| La grand-mère: | Ben, regarde. |

30 Unité 10 DVD Manual

Aurélie:	Merci, grand-mère. C'est gentil. J'adore ces chocolats.

(Elle offre un morceau à sa grand-mère et en met un dans sa bouche.)

La grand-mère:	Non, tu gardes ces chocolats pour toi. Mais il ne faut peut-être pas manger trop de chocolat. Pour quelqu'un qui a mal au cœur, ce n'est pas très bien.

(La grand-mère fait un grand sourire gentil. Aurélie fait un sourire un peu gêné.)

Aurélie:	C'est vrai.

(La grand-mère s'aperçoit de la photo qu'Aurélie a cachée. Elle la prend et la regarde.)

La grand-mère:	Mais, c'est Julien. *(Aurélie rougit.)* Les garçons, ce n'est pas toujours facile, n'est-ce pas?
Aurélie:	Grand-mère!

(À ce moment, la porte s'ouvre et sa mère apparaît.)

La mère d'Aurélie:	Alors, Aurélie, tu veux manger avec nous—ou tu préfères prendre ton déjeuner au lit?
▶51 *Aurélie:*	Je vais venir avec vous.	◀60

(L'école est finie. Les élèves sortent. Leïla et Julien se parlent avant de se quitter.)

Julien:	Leïla, le film commence à huit heures. Tu viens?
Leïla:	*(Avec un sourire.)* Peut-être.
Julien:	Si, s'il te plaît, Leïla.
Leïla:	Au revoir, Julien.
Julien:	Au revoir, Leïla. À ce soir.

(Leïla fait un sourire et ils se quittent. Aurélie et Leïla sont sur le lit d'Aurélie. Elles regardent les livres de classe.)

▶52 *Aurélie:*	Alors, l'interro d'anglais, c'est quoi?	◀61

(Leïla ouvre un des livres et montre à Aurélie.)

Leïla:	C'est ces pages. *(Elle montre dans le livre.)* Et voilà.

(Leïla sort un papier et le met dans le livre. Aurélie le regarde.)

Aurélie:	D'accord. C'est facile. Je n'ai pas peur de cette interro.

(Elles regardent ensemble le papier. Aurélie montre des mots avec son doigt. À chaque fois qu'elle dit un mot, Leïla fait oui de la tête.)

Aurélie:	Alors, ça, c'est le bras. Le doigt. Le doigt de pied. Ça, qu'est-ce que c'est? "Knee?"
Leïla:	Le genou.
Aurélie:	Le cou, les oreilles, les yeux, le dos.
Leïla:	Bon ben, je vais aller chez moi maintenant.
Aurélie:	D'accord. Merci, Leïla. Maintenant je vais téléphoner à Julien. Il peut bien venir chez moi ce soir.

(Leïla rougit; elle ne sait pas quoi dire.)

Leïla:	Non, c'est pas possible.
Aurélie:	Quoi?
Leïla:	Ben, c'est que... ce soir... Julien et enfin... nous... on va au cinéma... ensemble.
Aurélie:	Ah, bon?! Toi et Julien. Tous les deux. *(Elle a l'air très contrarié mais elle ne veut pas montrer sa déception.)* Bon. Tant mieux pour toi. Mais tes parents.... Tu peux sortir avec un garçon? Tu peux aller au cinéma avec un garçon?

Leïla:	Non, mais... je peux être avec toi et faire mes devoirs. Tu es malade, alors....
Aurélie:	Alors, pour tes parents tu es ici avec moi. Et tu vas au cinéma avec Julien. C'est ça?
Leïla:	Tu veux bien?

(Elle n'arrive pas très bien à cacher ses sentiments.)

Aurélie:	Très bien. Dis bien le bonjour à Julien et bon film! Au revoir, Leïla. Je suis très fatiguée maintenant et j'ai très mal à la tête.

(Leïla ne se rend pas compte de la jalousie de sa copine.)

Leïla:	Au revoir, Aurélie. À demain.
Aurélie:	À demain... peut-être.

▶53 *(Julien est là. Il attend. Il regarde sa montre. Il regarde le long de la rue. On voit que le film va bientôt commencer. Il n'y a presque personne devant le cinéma. Soudain, Leïla est là.)* ◀62

Julien:	Tiens, te voilà.
Leïla:	On y va.

(Ils s'embrassent. Après Julien la prend par la main. Elle a l'air heureux. Ils entrent vite au cinéma.)

Unité 11

No Subtitles   Subtitles

63 ▶ (*Julien et Christophe sont assis sur la terrasse d'un café.*)   ◀ **68**

Julien:	Comment tu trouves la nouvelle femme de mon père?
Christophe:	Oh, elle est gentille, Marie-Claire. Tu ne trouves pas?
Julien:	Si, si, elle est gentille. Et mon demi-frère.... Il est sympa, n'est-ce pas?
Christophe:	Oui. C'est gentil aussi que Marie-Claire et ton père m'invitent à l'île de Ré chez vous.
Julien:	Oh, c'est sympa, je trouve, d'être ici tous les deux. On va à la plage cet après-midi, hein?
Christophe:	Oui. Elle est jolie aussi, votre maison de vacances.
Julien:	Oui, j'aime beaucoup venir ici.
Christophe:	Ton père habite toujours dans le nord de la France?
Julien:	Oui, il habite à Lille.
Christophe:	C'est loin. Tu ne vas jamais là-bas?
Julien:	Si, en juin. Et je vais aller là-bas à la Toussaint aussi.
Christophe:	On y va?
Julien:	Oui.

64 ▶ (*Ils passent deux jeunes filles assises au bord du chemin. Une des jeunes filles s'adresse aux garçons.*)   ◀ **69**

Catherine:	Excusez-nous. Est-ce qu'il y a une banque près d'ici?
Christophe:	Une banque, dans le village? Ah, non. Mais il y a une banque à Saint-Martin. Mais on est samedi.
Catherine:	Ah oui, c'est vrai. Mais peut-être il y a un hôtel où on peut toucher des chèques de voyage? On n'a plus d'argent.
Christophe:	Oui, il y a un hôtel pas loin près de l'église. Vous voyez la maison là-bas?
Catherine:	Oui.
Christophe:	Vous tournez à droite après la maison et c'est tout droit. C'est l'Hôtel du Beau Soleil.
Catherine:	Merci.
Christophe:	Et vous venez d'où?
Catherine:	Nous sommes belges, de Bruxelles.
Christophe:	Vous êtes en vacances à La Rochelle?
Marine:	Non, nous étudions à Eurocentre à La Rochelle. Et vous? Vous êtes d'ici?
Christophe:	Nous habitons à La Rochelle. Mais mon ami là, qui est si bavard, son père a une maison, aux Portes. N'est-ce pas, Julien?
Julien:	Quoi? Oui, bien sûr.
Christophe:	Et vous êtes arrivées quand à La Rochelle?
Catherine:	On est arrivé le premier septembre et on va rester tout le mois.
Christophe:	Ça vous plaît?
Marine:	Oui, c'est formidable.
Christophe:	Et à l'île de Ré, vous habitez où?
Marine:	On est au camping de l'Océan. C'est près d'ici.
Christophe:	Vous restez dimanche aussi?
Catherine:	Oui, on rentre à La Rochelle lundi matin.

Christophe:	Écoutez, cet après-midi on va à la plage. Vous voulez venir avec nous?
Catherine:	Ah oui, pourquoi pas? Vous allez à quelle plage?
Christophe:	La plage de la Conche.
Marine:	C'est où?
Christophe:	C'est pas loin de votre camping. C'est juste derrière. Vous venez à trois heures?
Catherine:	Bon, d'accord. *(Elle prend des cartes postales qu'elle a écrites.)* Et où est-ce qu'on peut acheter des timbres?
Julien:	Sur la grande place, il y a un café-tabac. Là, ils vendent des timbres. C'est près de la mairie.
Catherine:	Merci. *(À Christophe en riant.)* Il parle, ton ami! À bientôt.
Marine:	Au revoir. À bientôt.
Christophe:	D'accord. À bientôt.

▶65 *(Les jeunes garçons s'en vont. Plus tard, Christophe et Julien sont assis au bord de la mer.)* ◀70

Christophe:	Mais qu'est-ce que tu as, Julien? Elles sont formidables, ces filles. Tu ne trouves pas?
Julien:	Bof.
Christophe:	Tu es malade ou quoi? Tu ne parles pas, tu es là avec une figure de porte de prison. Mais qu'est-ce que tu as?
Julien:	Ben.... C'est Leïla.
Christophe:	Quoi, Leïla? Elle est partie hier à Paris pour une semaine. Elle revient jeudi. Tu peux attendre, non?
Julien:	Oui, bien sûr. Mais je ne veux pas voir ces filles belges, c'est tout.
Christophe:	Écoute. On va à la plage, d'accord? On va rester au soleil, d'accord? On va nager, d'accord? Moi, j'ai envie de parler avec ces belles filles. Toi, tu n'as pas besoin de parler. D'accord?
Julien:	OK, OK.
Christophe:	Pourquoi Leïla est-elle allée à Paris?
Julien:	Elle est partie avec Aurélie pour un séjour chez un oncle.
Christophe:	Mais, Julien, c'est qui des deux que tu aimes? Leïla ou Aurélie?
Julien:	C'est Leïla. Bon, Aurélie... c'est une très bonne amie. C'est un peu comme une sœur. J'aime beaucoup Aurélie. Mais hier, avec Leïla.... On est allé au cinéma ensemble et après on est allé dans un café. On est resté deux heures à parler.
Christophe:	Mais vous êtes ensemble pour toujours, alors?
Julien:	Que tu es bête, Christophe! Moi, j'aime Leïla, mais elle, est-ce qu'elle...? Quand elle va revenir de Paris je vais parler avec elle. C'est pas facile. Elle va peut-être aller au Maroc après l'école. C'est ses parents qui veulent ça.
Christophe:	Mais Leïla n'est pas marocaine. Elle est française. Elle est d'ici, non?
Julien:	Oui, bien sûr. Mais bon... on a encore deux ans d'école devant nous. C'est après....
Christophe:	Et Aurélie, qu'est-ce qu'elle pense de tout ça?
Julien:	De Leïla et de moi?
Christophe:	Oui, bien sûr.
Julien:	Ben, rien. Je n'ai pas besoin de parler de tout ça avec Aurélie. C'est une très bonne amie. C'est tout.
Christophe:	Et elle pense aussi que vous êtes amis et rien de plus?
Julien:	Non, peut-être pas. Bon... moi, j'ai faim. On va à la maison? Mon père et Marie-Claire doivent nous attendre pour le déjeuner.

(Ils s'en vont. Plus tard Christophe et Julien sont sur la plage.)

Christophe:	Quelle heure est-il, Julien?
Julien:	Trois heures et quart. Elles ne vont pas venir tes amies belges.
Christophe:	Si, si, tu vas voir. Tu vas téléphoner à Leïla ce soir?
Julien:	Ça va pas?! Téléphoner chez l'oncle d'Aurélie pour parler à Leïla....
Christophe:	Oui, bien sûr. Tiens, regarde! Voilà les belles Belges. Ça va?
Catherine:	Ça va. Et vous?
Christophe:	Ça va bien.

(Les deux jeunes filles viennent et s'installent à côté des garçons. Julien soupire et tourne le dos aux autres. Visiblement il n'aime pas la présence des deux filles. Christophe commence à leur faire la conversation.)

Christophe:	Moi, je m'appelle Christophe et mon ami là, c'est Julien. Et vous?
Catherine:	Moi, je m'appelle Catherine....
Marine:	Moi, c'est Marine.
Christophe:	Alors, ça vous plaît, l'île de Ré?
Catherine:	Oui, beaucoup. C'est magnifique.
Christophe:	Et ce camping, comment il est?
Marine:	Très, très bien. Il y a même la piscine. Venez voir ce soir.
Christophe:	D'accord. Vous êtes déjà allées à Saint-Martin?
Marine:	Non.
Christophe:	C'est une très jolie petite ville. On peut aller ensemble ce soir à Saint-Martin. Il y a des boîtes. Vous voulez bien?
Catherine:	Oui, pourquoi pas?
Christophe:	Et toi, Julien, tu veux venir avec nous?
Julien:	Quoi?
Christophe:	Tu n'as pas envie d'aller danser ce soir à Saint-Martin dans une boîte?
Julien:	Bof, on va voir.
Marine:	Elle est chaude l'eau?
Christophe:	Oui, elle est très bonne. On y va?
Catherine:	Ben oui.

(Ils se lèvent et courent vers l'eau. Julien les regarde en soupirant. Plus tard, à la maison de vacances, le téléphone sonne. Le père de Julien répond.)

Le père de Julien:	Allô... oui. Ah, c'est vous Aurélie. Ça va bien? Oui, moi ça va. Et votre petit séjour à Paris? Oui... oui. Oui, il arrive juste. Oui... au revoir, Aurélie.

(Julien arrive pendant le coup de fil.)

Julien:	Salut, Aurélie. Oui, ça va bien? Oui, on a un temps formidable. Oui. Oui, et vous? Oui.... Très bien. Bien sûr, oui.... Oui, je pense à toi. Ah oui, je veux bien, oui. Au revoir, Aurélie. Grosses bises. À jeudi. Allô, Leïla? Oui, ça va bien? Oui, moi ça va, oui. Dis, Leïla.... Merci pour hier. Oui, très. Je... je pense.... Je pense beaucoup à toi. Oui.... Au revoir. À jeudi, Leïla. *(Il raccroche.)* Je t'aime.

Unité 12

No Subtitles   Subtitles

73 ▶ *(Julien sort de chez lui. Il prend son vélo. Il se parle à lui-même avec beaucoup de sentiments.)* ◀ **78**

Julien:	Leïla, j'ai besoin de parler avec toi. Je suis amoureux de toi et... j'ai beaucoup pensé à nous. Je n'ai jamais aimé une fille comme je t'aime, Leïla.... Je n'ai jamais aimé une fille comme je t'aime....

74 ▶ *(Il a l'air un peu nerveux. Il prend son vélo et s'en va. Leïla et Aurélie sont dans le salon d'Aurélie.* ◀ **79** *Aurélie est en train de tout installer pour montrer un film vidéo.)*

Leïla:	On a passé vraiment un séjour formidable. Moi, j'ai habité près de Paris, mais je n'ai jamais visité la ville comme ça. C'est seulement maintenant que j'ai vu ces monuments. C'est vraiment gentil.
Aurélie:	Oui, ça a été très sympa, je trouve. Et tu as bien aimé mon cousin Alexandre, hein? Il est gentil, n'est-ce pas? Et c'est un beau garçon.
Leïla:	Ah oui, ces trois jours ensemble, toi, moi et Alexandre.... Ça a été formidable.
Aurélie:	Alexandre va venir à La Rochelle dans une ou deux semaines.
Leïla:	Ah, bon? *(Elle rougit et elle a l'air content.)*
Aurélie:	Alors, Leïla, tu préfères Alexandre ou Julien?
Leïla:	Tu es bête, Aurélie.

(On sonne à la porte.)

Aurélie:	Tiens, ça doit être Julien.
Leïla:	Ah, bon? Tu as demandé à Julien de venir?
Aurélie:	Oui. Il peut regarder mon film aussi.

75 ▶ *(Julien entre.)* ◀ **80**

Julien:	Bonjour, Aurélie. Bonjour, Leïla. *(Ils s'embrassent.)* Alors, ce petit séjour à Paris?
Leïla:	Ça a été formidable.
Aurélie:	Oui, et on a vu un garçon sympa. Pas vrai, Leïla?
Leïla:	*(Elle sourit.)* Oui.
Aurélie:	Bon, on regarde mon film? Tu vas voir, Juju....

76 ▶ *(Elle met le film et tous les trois s'installent pour le regarder. D'abord on voit Leïla devant* ◀ **81** *le Louvre.)*

Julien:	Elle est vraiment belle.
Aurélie:	Oui, elle est jolie, cette pyramide.
Julien:	*(À voix basse.)* Oui, la pyramide aussi.
Aurélie:	C'est notre premier jour à Paris, et le matin nous avons visité le Louvre.
Leïla:	Pour moi, c'est la première fois. Et j'ai habité 16 ans près de Paris!
Julien:	Tu as vu la Joconde aussi?
Leïla:	Oui, bien sûr, et j'ai bien aimé. C'est vraiment un musée formidable.

(Dans le film, on voit Alexandre qui entre dans l'image et qui montre la pyramide à Leïla.)

Julien:	Qui est ce garçon?
Aurélie:	C'est mon cousin Alexandre. Il a été avec nous tout notre séjour.

(Elle regarde Julien pour voir sa réaction. On voit Leïla et Alexandre dans un café aux Champs-Élysées.)

Leïla:	Ah oui, on a pris un coca aux Champs-Élysées. C'est très cher et il y a un peu trop de bruit, mais j'ai bien aimé.

(On voit Leïla qui rit beaucoup et Alexandre qui lui raconte quelque chose.)

Aurélie:	Tu as trouvé mon cousin bien sympa, hein, Leïla?
Leïla:	Oui.
Julien:	Il est un peu vieux, non?
Aurélie:	Il a 22 ans.

(Julien a l'air mal à l'aise. On voit Leïla et Alexandre à l'arc de triomphe et au tombeau du soldat inconnu.)

Leïla:	On a continué notre chemin sur les Champs-Élysées—jusqu'à l'arc de triomphe. On a beaucoup marché cette première journée.
Aurélie:	On marche toujours beaucoup quand on est à Paris.

(On voit Alexandre faire la queue devant le guichet pour acheter des billets pour la promenade en bateau mouche.)

Aurélie:	Voilà Alexandre. Il est au guichet pour acheter des billets pour le bateau.

(On voit Leïla et Alexandre en bateau mouche. C'est le soir. Il y a des images de Paris "by night.")

Leïla:	Et on a fait un tour en bateau. Que c'est joli! Paris, c'est vraiment une des plus belles villes du monde, n'est-ce pas? Regardez la tour Eiffel. Elle est super comme ça. Vous ne pensez pas?
Julien:	Si, vraiment.

(On voit Leïla et Alexandre l'un à côté de l'autre dans le bateau, et après, d'autres images de Paris.)

Julien:	Toujours ensemble....
Leïla:	Voilà Notre-Dame.
Aurélie:	Et on a fini notre première journée à Paris dans une boîte. On a dansé jusqu'à une heure du matin. Imagine, Juju! Leïla dans une boîte!
Julien:	Ça doit être la première fois.
Leïla:	Oui. Loin de mes parents, loin de la famille pour la première fois.

(On voit d'autres images, de jour cette fois-ci. D'abord on voit la Défense.)

Aurélie:	Voilà le deuxième jour. D'abord, on est allé visiter la Défense. J'aime beaucoup ce quartier moderne.
Julien:	Et le cousin, Aurélie? Il n'est plus là?
Aurélie:	Non, mardi matin Alexandre a eu beaucoup de choses à faire—et il n'est pas venu avec nous. Après, nous sommes allées au musée d'Orsay.

(Il y a des images du musée d'Orsay.)

Leïla:	C'est un très beau musée. Il y a beaucoup de tableaux impressionnistes. Monet, Renoir, Degas, Cézanne. J'adore....
Aurélie:	Mais on ne peut pas filmer dans le musée. C'est pas possible.
Julien:	*(Il boude un peu.)* Et voilà le charmant cousin.

Aurélie:	Mais qu'est-ce que tu as, Julien? Ça ne te plaît pas de regarder ce film?
Julien:	Si, si. Pardon.
Leïla:	Et après nous sommes allés faire les magasins du Forum.
Julien:	Tu as acheté quelque chose?
Leïla:	Oui, cette jupe. (*Elle montre sa jupe.*) Tu aimes bien?
Julien:	Elle est très jolie.
Leïla:	J'ai aussi acheté quelques CDs et des livres.
Aurélie:	D'après mon père, il faut avoir beaucoup d'argent pour vivre à Paris.

Julien:	Ça, c'est vrai.

(*On voit des images du Centre Pompidou.*)

Aurélie:	Voilà le Centre Pompidou.
Julien:	Je ne trouve pas ça très joli.

(*On voit des images des sculptures de Niki de Saint-Phalle près du Centre Pompidou.*)

Leïla:	J'adore ça!

(*Il y a des images de la tour Eiffel.*)

Aurélie:	On est aussi monté à la tour Eiffel.

(*On voit Leïla et Alexandre à la tour Eiffel regardant la vue sur Paris. Leïla a peur de s'approcher du bord. Elle prend Alexandre par la main.*)

Leïla:	J'ai vraiment eu peur.
Julien:	Oui, on peut voir ça.

▶ 77   (*Le film se termine là. Aurélie éteint le magnétoscope.*)   ◀ 82

Aurélie:	C'est tout. On a vraiment passé quelques jours formidables à Paris.
Leïla:	Trois jours bien chargés.
Aurélie:	Jeudi matin on a quitté Paris et nous avons pris le train pour La Rochelle. Vous voulez quelque chose? Un chocolat, du coca, du jus de fruit?
Leïla:	Moi, un jus de fruit, s'il te plaît.
Julien:	Un coca pour moi, s'il te plaît.

(*Aurélie quitte le salon pour aller chercher les boissons. Julien s'approche de Leïla et commence à lui parler à voix assez basse.*)

Julien:	Alors, Leïla, ça va? J'ai beaucoup aimé aller au cinéma avec toi la semaine dernière.
Leïla:	Oui.
Julien:	Et samedi soir qu'est-ce que tu fais? On va au cinéma ensemble?
Leïla:	Non, Julien, c'est pas possible.
Julien:	On peut aller dans un café ensemble.
Leïla:	Peut-être.
Julien:	Tu vois, Leïla, pour moi tu es.... Tu es vraiment la fille la plus formidable—la plus jolie, la plus sympa. Vraiment, je....
Leïla:	Voilà Aurélie.

(*Aurélie revient avec les boissons.*)

Aurélie:	Mais, Julien.... Qu'est-ce que tu as? Tu n'es pas en bonne forme?
Julien:	Si, si. Ça va.

Aurélie:	Mon cousin Alexandre va venir ici à La Rochelle—dans une ou deux semaines. C'est formidable, hein? On va faire beaucoup de choses ensemble tous les quatre. Tu vas voir. Il est très sympa. Pas vrai, Leïla?
Leïla:	Ah oui, très.
Julien:	Ah, bon.

(La porte est ouverte. Julien s'apprête à partir. On voit Leïla qui part. Julien est seul avec Aurélie.)

Aurélie:	(À voix assez basse.) Tu n'es pas très gentil, Julien.
Julien:	Quoi?
Aurélie:	Oh, je ne suis pas bête. Je vois bien.
Julien:	Tu vois quoi, Aurélie?
Aurélie:	Je vois bien que tu es amoureux de Leïla.
Julien:	Ah, écoute. Je....

(On entend la voix de Leïla du dehors.)

Leïla:	Tu viens, Julien?
Aurélie:	Leïla attend, Julien. Mais un jour tu dois décider. C'est Leïla ou c'est moi.
Leïla:	Tu viens, Julien? Julien....

(Julien a l'air très embarrassé. Il veut rester pour parler avec Aurélie et il veut partir rejoindre Leïla.)

Aurélie:	Bye.

(Aurélie ferme la porte.)

Activities

Unité 1

VIEWING ACTIVITIES

1 *Salut!* You will hear some French names in the video. They are written below. Number the names chronologically according to the first time you hear them. Begin with "1" and number up to "8."

	Sabrina
	Floriane
	Aurélie
	Charles
	Jean-Paul
	Julien
	Leïla
	Jacqueline

2 *Un, deux, trois...* Many numbers are said during the video. As you hear each number, circle it on the chart.

0			
1	6	11	16
2	7	12	17
3	8	13	18
4	9	14	19
5	10	15	20

POST-VIEWING ACTIVITIES

3 *En anglais, s'il vous plaît.* Many French words are spelled the same or nearly the same as English words. Often these words are similar in meaning as well. Here are some words you heard in the video. Write their English equivalents. Then go one step further. Name the person(s) in the video who said each word.

1. tprésente = _____

2. allô = _____

3. zéro = _____

4. maman = _____

5. non = _____

4 *Bonjour!* When people met or parted, they sometimes gave each other kisses on the cheeks. Can you remember who did what? For each of the following situations, mark an "X" in the appropriate box.

Situation	Kiss	No kiss
1. Aurélie says *Bonjour, Madame* to a neighbor she meets on the street.		
2. Julien and Aurélie meet in the school courtyard.		
3. Aurélie says *Au revoir* to her mom as she leaves for school.		
4. Aurélie and Leïla meet each other for the first time.		
5. Leïla is introduced to Julien by Aurélie.		

5   *Vrai ou faux?* If each sentence is true according to what happened in the video, mark an "X" under *Vrai*. If not, mark an "X" under *Faux*.

Vrai	Faux	
		1. Aurélie's mom speaks to Jacqueline on the phone.
		2. Julien introduces Leïla to Aurélie.
		3. The teacher's name is Meunier.
		4. Sabrina is late for class.
		5. The teacher spells Leïla's last name correctly.
		6. After class, students say "Bye" in English.

6 *Les taxis.* Answer the questions that follow about *Abeilles Taxis*, located in La Rochelle. Don't worry! You won't know some of the words in the ad. But if you look carefully, you will see enough clues to be able to answer the questions.

1. What kind of company is this?

_____

2. What hours are they open for business?

_____

3. What are their phone numbers?

_____

4. Will they transport dogs?

_____

5. Excursions to what places are offered in the La Rochelle region?

_____

_____

6. Is it possible to make a reservation in advance?

_____

_____

7. What is their fax number?

_____

C'est à toi!
Level One
©EMC

Unité 2

VIEWING ACTIVITIES

1 *J'aime. Je n'aime pas.* As you watch the video, you will hear people say what they like and don't like. As they speak, mark an "X" in the appropriate box according to what they say. For example, Leïla says that she likes *le cinéma*, so there is an "X" in the box under *J'aime*.

	Who	What	J'aime.	Je n'aime pas.
1.	Leïla	le cinéma	X	
2.	Leïla	Gérard Depardieu		
3.	Leïla	étudier		
4.	Aurélie	faire du cinéma		
5.	Leïla	Patricia Kaas		
6.	Aurélie	dormir		
7.	Aurélie	étudier		
8.	Leïla	faire du sport		
9.	Leïla	écouter de la musique		
10.	Leïla	le jazz		
11.	Leïla	la musique classique		
12.	Aurélie	le rock		
13.	Aurélie	le jazz		
14.	Aurélie	Julien		
15.	Julien	le sport		
16.	Aurélie	Gérard Depardieu		

2 *C'est qui?* Who says the sentences that follow? As you hear each one, write the letter of the person who says it in the blank.

1. _____ Dis, Leïla, tu aimes le cinéma?   A. maman

2. _____ Demain c'est l'interro.   B. Leïla

3. _____ Et moi, je joue au tennis.   C. Julien

4. _____ Leïla et moi, nous étudions.   D. Aurélie

5. _____ Bon, on étudie?

6. _____ Oui, il aime le sport.

7. _____ Alors, tu restes manger, Leïla?

8. _____ Dis, on va au cinéma demain?

3 *On écoute bien!* In French, as in English, you can ask a question simply by raising your voice at the end of a word or phrase. As you watch the video, listen carefully. Each time one of the people listed below asks a question by raising his or her voice, even if it is just one word, mark an "X" in the appropriate *Question* box.

Nom	Question
Leïla	
Julien	
maman	
Aurélie	

POST-VIEWING ACTIVITIES

4 *Oui ou non?* Did the things that follow really take place in the video? Mark an "X" in the appropriate box.

Event	Oui	Non
1. Julien téléphone à Aurélie?		
2. On passe un bon film au Dragon?		
3. Julien invite Leïla au cinéma?		
4. Julien et Leïla étudient?		
5. Maman joue au foot?		
6. On invite Leïla à manger?		
7. Aurélie invite Julien au cinéma?		

5 *On y va?* Getting someone to go out is not always easy. Answer the question in the middle column by circling whether or not the person accepted the invitation. Answer the question in the right-hand column by circling the letter of the most correct explanation for why the invitation was accepted or declined.

Au téléphone	Il/Elle accepte?	Pourquoi?
1. Julien invite Leïla au cinéma.	A. Oui B. Non	A. Elle n'aime pas le cinéma. B. Elle étudie pour l'interro. C. Elle aime beaucoup Gérard Depardieu. D. Elle n'aime pas Julien. E. Elle aime Julien.
2. Julien invite Aurélie au cinéma.	A. Oui B. Non	A. Elle aime beaucoup Patricia Kaas. B. Elle aime François Truffaut. C. Elle aime Julien. D. Leïla et Aurélie étudient. E. Elle joue au tennis.
3. Aurélie invite Julien au cinéma.	A. Oui B. Non	A. Il étudie pour l'interro. B. Il aime Aurélie et le cinéma. C. Il joue au tennis. D. Il aime beaucoup Leïla. E. Il fait les devoirs.

6 *Répondez.* Answer the questions that follow in French using complete sentences. Your answer should be based on what happened in the video.

Modèle: Leïla aime le cinéma?

Oui, elle aime le cinéma.

1. Leïla aime Gérard Depardieu?

   _____

2. Leïla préfère étudier?

   _____

3. Leïla et Aurélie étudient?

   _____

4. Aurélie aime faire du cinéma?

   _____

5. Aurélie aime dormir?

   _____

6. Leïla aime faire du sport?

   _____

7. Leïla aime beaucoup le jazz?

   _____

8. Leïla reste manger?

   _____

7 Based on this ad for *Le Rochelois*, answer the questions that follow.

SPORT, LOISIRS ET DÉTENTE

SALLE DE MUSCULATION	**LE ROCHELOIS**	ESPACE CARDIO
	CENTRE DE MISE EN FORME	*Vélo*
BODY BUILDING	66, bd Winston-Churchill - 17000 La Rochelle	*Tapis roulant*
	46 43 88 36	*Rameur*
ASSOUPLISSEMENT		*Steppeur*
STEP	**TARIF SPÉCIAL ÉTUDIANTS ET MOINS DE 25 ANS**	ESPACE HUMIDE
	FORFAIT D'ACCÈS À TOUTES LES DISCIPLINES SANS LIMITATION	*Sauna*
AÉRO-GYM	**ANNÉE SCOLAIRE JUSQU'AU 30 JUIN 114 €**	*Hammam*
	CARTE MAGNÉTIQUE : 5 €	*Jaccuzi*
STRETCHING	OUVERT TOUS LES JOURS Y COMPRIS LES DIMANCHES ET JOURS FÉRIÉS	*TENNIS*

1. Why would you go to *Le Rochelois*?

   _____

2. What is the phone number of *Le Rochelois*?

   _____

3. Just as English adopts French words (crêpes, matinée), French adopts English words. Can you find three English words in this ad?

   _____

4. What is the address of *Le Rochelois*? Why do you think a boulevard in France is named after a British prime minister?

   _____

5. Can you go here to lift weights and get an aerobic workout?

   _____

6. When you are done working out, what can you do to relax?

   _____

8 *J'aime les films.* There are many old movies on TV this week. Use the movieguide to answer the questions that follow. Hint: Times are given using the 24-hour clock. To convert to the A.M./P.M. system, subtract 12.

1. One of these films is a detective movie. Which one?

   _____

2. At what time does the drama begin and end? (Answer using the A.M./P.M. system.)

   _____

3. Who stars in the comedy?

   _____

4. Who is the director of the science fiction film?

   _____

5. Which of these four films is the longest?

   _____

6. If you had school the next day and wanted to go to bed before 11:00 P.M., which films could you watch?

   _____

Unité 3

VIEWING ACTIVITIES

1 *L'ordre correct.* You will hear the questions that follow during the video. But here they're listed out of order. Number them from "1" to "5" according to when you first hear each question.

A. _____ Et comme boisson?

B. _____ Qu'est-ce que tu aimes faire?

C. _____ Quelle heure est-il?

D. _____ Ça ne va pas?

E. _____ Tu ne vas pas chez Muriel?

2 *C'est affirmatif ou négatif?* If you hear the affirmative version of each sentence, circle it in the left-hand column. If you hear the negative version, circle it in the right-hand column.

Affirmatif	Négatif
1. J'ai soif.	Je n'ai pas soif.
2. On va au Macdo?	On ne va pas au Macdo?
3. Ça va.	Ça ne va pas.
4. Tu manges?	Tu ne manges pas?
5. Tu vas chez Muriel?	Tu ne vas pas chez Muriel?
6. Et le sport? Tu aimes?	Et le sport? Tu n'aimes pas?

3 *Répétez!* You will hear the expressions that follow more than once in the video. Each
time you hear one of them, mark an "X" in the box next to it.

bof	
moi	
toi	
s'il vous plaît	

POST-VIEWING ACTIVITIES

4 *Qu'est-ce qu'on mange?* Circle the items that each person ordered at the café.

Leïla	Julien	Aurélie
un Perrier	un coca	une quiche
des frites	un steak	une eau minérale
un hamburger	une quiche	une glace à la vanille
un jus de pomme	un café	une crêpe
un sandwich	au fromage	une salade des frites
un jus d'orange	un hot-dog	une glace au chocolat

5 *Répondez!* Answer the questions based on what happened in the video. Use complete sentences.

1. Aurélie et Julien vont au Macdo?

    _____

2. Aurélie va à la boum de Muriel?

    _____

3. Qui mange une crêpe?

    _____

4. Qui aime le jazz?

    _____

5. Leïla préfère le sport ou la musique?

    _____

6 *En anglais, s'il vous plaît.* You remember that cognates are words that have a similar spelling and meaning in both French and English. But their pronunciation is often quite different. In the video you heard the cognates in the chart that follows. Write the English equivalent of each one and tell who said it.

French	English	Who said it?
1. muscles		
2. jus		
3. vanille		
4. minérale		
5. classique		

7 *On mange une pizza!* Look at the pizza menu and then answer the questions that follow.

———— **LES CLASSIQUES** ————

	Normale 1 pers.	Double 2 pers.	Triple 3 pers.
Margherita Sauce tomate aux herbes et fromage	5,51	9,41	13,12
Jamaïca Thon, maïs et poivrons verts	5,93	10,22	14,23
Cheesam Noix d'épaule et supplément de fromage	6,61	11,00	15,46
Lorraine Noix d'épaule, champignons, oignons et sauce crème à l'ail	7,14	11,61	16,17
Tropicale Noix d'épaule, ananas et champignons	7,14	11,61	16,17
Niçoise Thon, olives noires, anchois et tomates fraîches	7,51	12,32	16,92
Créole Poulet, ananas et poivrons verts	7,51	12,32	16,92
Forestière Noix d'épaule, champignons et tomates fraîches	7,92	12,71	17,43
Bacon Bacon, oignons et tomates fraîches	7,92	12,71	17,43

———— **PAIN À L'AIL** ————

Pain à l'Ail (cuit au four)	1,60
Pain à l'Ail Suprême (recouvert de fromage)	1,92

———— **SALADES COMPOSÉES** ————

Sylvestre Salade mêlée, vinaigrette, pignons de pin	3,57
Caesar Salade mêlée, bacon, croûtons à l'ail, sauce Danish Blue	3,66
Estivale Salade verte, thon, olives noires, tomates, anchois, vinaigrette	4,32

1. What is in a Margherita pizza?

   _____

2. Which pizza has tuna, olives, anchovies and fresh tomatoes on it?

   _____

3. How much does a Créole pizza cost for three people?

   _____

4. What are the names of the salads you can order?

   _____

5. Which salad has garlic croutons?

   _____

6. Which salad has black olives on it?

   _____

8 *Qu'est-ce qu'on mange?* What do French teens eat for lunch at school? On the Internet you can find out what the *École de Piquecos* serves each day. Based on their Internet page, answer the questions that follow. (You may want to use the vocabulary at the end of your textbook.)

Le menu du 26/03

Ce midi, nous avons mangé :

☐ Salade niçoise
☐ Steak haché avec haricots verts (et beurre aillé)
☐ Fromage
☐ Gâteau au yaourt

Nicole, notre cuisinière

	Question	Answer
1.	What is the date that this lunch was served?	
2.	What do you think the heading means? (Ce midi, nous avons mangé:)	
3.	What was the first course?	
4.	What kind of meat was served?	
5.	What vegetables came with the meat?	
6.	What was on the vegetables?	
7.	What followed the main course?	
8.	What was for dessert?	
9.	Nicole has the same job as Leïla's dad. What is it?	

Unité 4

VIEWING ACTIVITIES

1 *Les cours.* Leïla, Aurélie, Jean and Julien are talking about some of their classes. Who has what? When you hear someone mention a class, write the letter of that class in the space next to his or her name.

A. la physique	D. les maths
B. le dessin	E. la musique
C. la chimie	F. la biologie

L'élève	Les cours
Leïla	
Aurélie	
Jean	
Julien	

2 *Les jours de la semaine.* As you listen to the video, you will hear students mention different days of the week. Each time you hear one, mark an "X" in the appropriate box. You will hear the names of some days more than once.

lundi	
mardi	
mercredi	
jeudi	
vendredi	
samedi	
dimanche	

3 *On aime ou pas?* You will hear students saying who or what they like and don't like. Indicate what they say by marking an "X" in the appropriate box.

		J'aime.	Je n'aime pas.
1.	Aurélie	le dessin		
2.	Leïla	le dessin		
3.	Leïla	la musique		
4.	Aurélie	M. Gérard		
5.	Leïla	M. Gérard		
6.	Aurélie	Julien		
7.	Julien	le sport		
8.	Julien	le foot		
9.	Julien	les filles		
10.	Julien	Aurélie		
11.	Julien	Leïla		
12.	Leïla	le jambon		
13.	Leïla	manger à la cantine		
14.	Aurélie	la biologie		
15.	Aurélie	Mme Dubois		
16.	Jean	les sciences		
17.	Julien	les maths		

POST-VIEWING ACTIVITIES

4 À *quelle heure?* Students discussed their school schedules or what they were going to do. Some of these things are listed here next to their names. Put them in order by numbering them chronologically according to when they did or were going to do each one. Begin with "1."

1. Aurélie   A. _____ manger à la cantine

              B. _____ les maths

              C. _____ le dessin

              D. _____ la musique

2. Julien   A. _____ aller en boîte

              B. _____ l'interro de maths

3. Jean   A. _____ la chimie

              B. _____ la physique

              C. _____ la biologie

4. Leïla   A. _____ la biologie

              B. _____ manger

              C. _____ les maths

              D. _____ le dessin

5 *Tout le monde a des opinions.* Julien, Aurélie and Leïla expressed their opinions about many people and things. In each list circle the letter of each person or thing that the student did <u>not</u> give his or her opinion about.

Julien	Aurélie	Leïla
A. les maths	A. M. Gérard	A. Mme Dubois
B. Nathalie	B. la chimie	B. manger à la cantine
C. Leïla	C. les Beatles	C. Michael Jackson
D. M. Gérard	D. le dessin	D. la musique
E. le jambon	E. Julien	E. M. Gérard

6 *Répondez.* Answer the questions that follow using complete sentences. Base your answers on what happened in the video.

1. Où est le cahier de maths d'Aurélie?

   _____

2. Qui a besoin d'une trousse?

   _____

3. Où est la trousse?

   _____

4. Aurélie et Leïla aiment le prof de dessin, M. Gérard. Pourquoi?

   _____

5. Leïla ne mange pas à la cantine. Pourquoi?

   _____

6. Jean aime quelles sciences?

   _____

7. Aurélie finit à 16h?

   _____

7 *Répondez.* Use the movie guide to answer the following questions.

CHARENTE-MARITIME

CINÉFIL

▶ **Les Anges gardiens**
De Jean-Marie Poiré.

Tous les jours à 14 h 10, 16 h 25, 20 h 10, 22 h 25 **complexe Dragon La Rochelle;** Mer, sam 14 h, 16 h 15, 20 h, 22 h 15; dim 14 h, 16 h 15, 20 h 15; jeu, ven, lun, mar 14 h, 20 h, 22 h 15 **Complexe CGR Olympia La Rochelle**

▶ **Pocahontas**
Dessin animé de Walt Disney.
Mer 14 h, 16 h 15, 20 h, 22 h; sam 14 h, 16 h, 18 h, 20 h 10, 22 h 10; dim 14 h, 16 h, 18 h 10, 20 h 15; jeu, ven, lun, mar 14 h, 20 h 10, 22 h 10 **complexe CGR Olympia La Rochelle;** Mer, sam, dim 14 h 15, 16 h, 20 h, 21 h 45; jeu, ven, lun, mar 14 h 15, 20 h, 21 h 45 **complexe Dragon Plus, La Rochelle;** Mer 14 h 30, 20 h 30; jeu, ven, lun, mar 20 h 30; sam, dim 14 h, 16 h, 20 h 30 **Olympia Saintes;** Mer, sam 14 h 30, 20 h 20, 22 h 30; dim 14 h 15, 16 h 30, 20 h 35; jeu, ven, lun, mar 20 h 20, 22 h 30 **Apollo Rochefort;** Mer, sam, dim, lun 14 h 30, 17 h, 21 h; jeu, ven, mar 14 h 30, 21 h **Lido Royan;** Mer 14 h 30, 17 h 30, dim 14 h 30, 18 h, 21 h **Le Relais Saint-Georges-de- Didonne.**

1. At what time (A.M/P.M. system) is the first showing of *Pocahontas* at the **complexe Dragon Plus** on Wednesday, Saturday and Sunday?

   _____

   _____

2. Which theater has the latest starting time for *Pocahontas?*

   _____

   _____

3. At what theaters is *Les Anges gardiens* showing?

   _____

   _____

4. Who is the director of *Les Anges gardiens?*

   _____

   _____

5. How many showings of *Les Anges gardiens* are there on Sunday at the **Complexe CGR Olympia La Rochelle?**

   _____

   _____

8   *Les clubs à l'école.* After school, students at the *Lycée d'Enseignement Général et Technologique Agricole* can participate in various clubs. Answer the questions that follow the information about these clubs.

Lycée d'Enseignement Général et Technologique Agricole

CLUBS	RESPONSABLES	LIEU	HORAIRES	PROJETS
MUSIQUE	PERRICAT David Term. D BAYLE Arnaud Term. STAE	Auditorium	Tous les jours 12h30 - 13h30 et 18h - 19h	Animer des soirées (3 groupes)
OISEAUX	BOCK David 1ère D GUAY Stéphane 1ère D	Foyer Acacias	Tous les jours de 12h30 à 13h30 et de 18h à 19h	Faire découvrir et observer de nouvelles races d'animaux
PÊCHE À LA MOUCHE	GOUINEAU Anthony Term. E BAUER Adrien Term. E	Recherche d'une salle - Armoire en technique	Mardi soir 18h - 19h et mercredi 13h - 15h	Présentation du matériel-sensibilisation des problèmes de pollution-connaissance des espèces halieutiques
PÊCHE	HODE Dimitri 2nde A MASSE Claude 2nde A	Sur les bords du Loir	Mercredi après-midi	Découvertes des différentes pratiques de pêche
PHOTO	BOIS David 2nde B TOUCHAIN Jérôme 2nde B	Foyer Tilleul	Mercredi 13h15 - 17h30	
TAXIDERMIE	THIBAULT Sylvain 1ère C BOILLOT J-Sébastien 2nde B	Sous-sol internat Acacias	Mercredi 13h30 - 16h	Naturalisation et exposition des animaux
TENNIS	LEGROS Mathieu Term.STAE	Gymnase	Voir feuille soirée	Initiation au tennis
THÉÂTRE	DOBIGNY Sandra- FERRAND Sarah animatrice ESC	Auditorium	Mardi 19h30 - 21h30	Pratique théâtrale - représentation
TIR À L'ARC	LIDOREAU Stéphane Term. C JOURNAUD Soazig 1ère D	Gymnase	mardi 20h - 21h30	Découverte et initiation
TIR À LA CARABINE	CHANTELOUP Rémy AL1	Sous-sol internat Tilleuls	Jeudi 18h - 19h	Découverte et apprentissage du tir sur cible avec carabine et pistolet
V.T.T.	ALLEMAND Cédric 1ère STAE MOUETTE Sébastien 1ère D	L.A.V.	Mercredi après-midi	Faire des sorties en forêt

1.	What day does the photography club meet?	
2.	Who is in charge of the tennis club?	
3.	At what time does the theater club meet? (Use the A.M/P.M. system in your answer.)	
4.	Which club involves stuffing animals?	
5.	Where does the music club meet?	
6.	Which club meets for the longest period of time? How long does it meet?	

Unité 5

VIEWING ACTIVITIES

1 *C'est mon, ma ou mes?* As Aurélie films her video, she introduces each member of her family. Listen carefully for the possessive adjectives *mon, ma* and *mes*. Each time you hear one of these words, mark an "X" in the appropriate box.

mon	
ma	
mes	

2 *Qui est à l'anniversaire d'Aurélie?* Who are the family members and friends at Aurélie's birthday party? Number the people chronologically according to the first time Aurélie speaks to them. Begin with "1."

A. _____ sa tante

B. _____ sa mère

C. _____ son frère

D. _____ son grand-père

E. _____ Julien

F. _____ son cousin

G. _____ sa cousine

H. _____ son père

POST-VIEWING ACTIVITIES

3 *Ils sont comment?* What are Aurélie's family members like? Following the name of each one is a brief description. Circle only the sentences that are true.

Le grand-père d'Aurélie • Il est de La Rochelle. • Il a 65 ans. • Il a une femme. • Il s'appelle Gérard. • C'est le frère de Napoléon.	**La tante d'Aurélie** • Elle s'appelle Françoise. • C'est la tante favorite d'Aurélie. • Elle a 21 ans. • Elle est timide. • Elle a trois enfants.
Le cousin d'Aurélie • C'est le frère de Leïla. • Il a 19 ans. • Il est de Poitiers. • Il est timide. • Il s'appelle Christophe.	**La cousine d'Aurélie** • C'est la sœur d'Éric. • Elle s'appelle Constance. • Elle a 15 ans. • Elle est timide. • Elle a un poisson rouge et un chien.

4 *L'anniversaire d'Aurélie.* Two unpleasant situations develop on Aurélie's birthday. The first is her fight with her brother. The second is a problem with Julien. In the chart below, circle the verbal and non-verbal reactions of Aurélie.

	Situation	Verbal reaction	Non-verbal reaction
1.	Her brother teases her with the photo of Julien.	J'en ai marre. C'est ma photo! Tu es bête, Éric! Tu donnes!	Sticks her tongue out at him. Hits him. Grabs picture and turns away. Shakes her finger at him.
2.	Julien brings three other girls to her party.	Tu es égoïste, Julien! Tu n'es pas sympa! Qui sont les filles? Tu es généreux.	Sulks and walks away. Avoids eye contact with Julien. Punches him in the face. Reluctant to dance with Julien.

5 *Répondez.* Answer the questions that follow according to what happened in the video. Use complete sentences.

1. Quelle est la date de l'anniversaire d'Aurélie?

   _____

2. Aurélie a quel âge?

   _____

3. Le poisson rouge de Constance s'appelle comment?

   _____

4. Julien arrive à quelle heure?

   _____

5. Qu'est-ce que Julien donne à Aurélie pour son anniversaire?

   _____

6 *C'est qui?* Read how the people in the video describe themselves. Then say who is speaking by writing his or her name in the blank.

1. Je suis brune et je suis belle. J'ai 17 ans. J'ai les yeux marron. Je m'appelle

   _____.

2. J'ai les cheveux blonds. Je ne suis pas timide. Aurélie est ma sœur. Je m'appelle

   _____.

3. Je suis blonde. J'ai 15 ans... en novembre. Mon frère s'appelle Mathieu. Aurélie est

   ma cousine. Je m'appelle _____.

4. Je suis blond. Je suis très beau et très intelligent. Ma mère s'appelle Françoise.

   Je m'appelle _____.

Cap sur Fort-Boyard,
les îles : Aix, Oléron et Ré
au départ de
La Rochelle

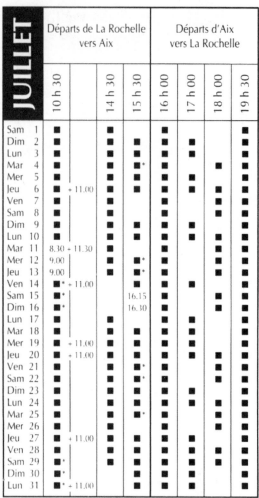

JUILLET	Départs de La Rochelle vers Aix				Départs d'Aix vers La Rochelle			
	10 h 30		14 h 30	15 h 30	16 h 00	17 h 00	18 h 00	19 h 30
Sam 1	■		■	■	■			■
Dim 2	■		■	■	■	■		■
Lun 3	■		■				■	■
Mar 4	■		■	■*			■	■
Mer 5	■		■					■
Jeu 6	■	+ 11.00	■					■
Ven 7	■		■					■
Sam 8	■		■					■
Dim 9	■		■	■				■
Lun 10	■		■			■	■	■
Mar 11	8.30	+ 11.30	■					■
Mer 12	9.00			■*				■
Jeu 13	9.00			■*				■
Ven 14	■*	+ 11.00		■		■		■
Sam 15	■*			16.15	■			■
Dim 16	■*			16.30			■	■
Lun 17			■		■			■
Mar 18			■		■			■
Mer 19	■	+ 11.00	■	■				■
Jeu 20	■	+ 11.00	■	■				■
Ven 21	■		■	■*				■
Sam 22	■		■	■*				■
Dim 23	■		■					■
Lun 24	■		■					■
Mar 25	■		■	■*				■
Mer 26	■							■
Jeu 27	■	+ 11.00	■					■
Ven 28	■		■				■	■
Sam 29	■*		■		■			■
Dim 30	■*				■		■	■
Lun 31	■*	+ 11.00	■		■			■

* pas de formule promenade pour ces départs

Conditions Générales de Vente

TARIFS
● **Famille :**
Un adulte accompagnant un enfant.
A partir de 10 passagers formant un groupe constitué.

● **Enfants : 4 à 12 ans**
Enfant de moins de 4 ans :
Tarif unique : **3** €

● **Animaux**
Tarif unique : **3** €

Modification du programme
En cas de force majeure, Inter-Iles se réserve le droit de modifier les horaires ou le programme sans préavis ni versement d'indemnités.

Heure limite d'embarquement
Présentation 20 mn avant l'heure d'appareillage.

Embarquement - Billetterie :
46 50 51 88
Parking du Vieux Port de La Rochelle

7 *Inter-Îles* is a company that provides ferry service between La Rochelle and three nearby islands. Read the ad on the previous page in order to answer the following questions.

1. What are the names of the three islands near La Rochelle?

   _____

2. How long does it take to get from Oléron to Aix? From Aix to La Rochelle?

   _____

3. At what times does the ferry leave La Rochelle on Friday, July 7?

   _____

4. Which ferry from Aix would you take if you wanted to get back to La Rochelle before 6:00 P.M. on Tuesday, July 4?

   _____

5. Do you need to buy a ticket for your pet?

   _____

6. What number do you call for information?

   _____

RÉGION
Poitou–Charente

4 départements
25 800 km²
1,6 M d'habitants

8 *L'Internet.* On the previous page you see a map from the Internet that shows the region in which La Rochelle is located. Answer the following questions by using the Internet site.

1. What is the name of the region?

   _____

2. How many departments are located in this region?

   _____

3. What are the names of these departments?

   _____

4. In which department is La Rochelle?

   _____

5. What is the surface area of the region in square kilometers?

   _____

6. How many inhabitants live in this region?

   _____

Unité 6

VIEWING ACTIVITIES

1 *Tu viens d'où?* If you listen carefully to the video, you will hear the names of different cities and countries. Mark an "X" by the ones you hear.

1.	Lyon	
2.	Maroc	
3.	Tunisie	
4.	La Rochelle	
5.	France	
6.	Italie	
7.	Canada	
8.	États-Unis	
9.	Espagne	
10.	Paris	
11.	Montréal	
12.	Lille	
13.	Marseille	
14.	Chicago	

2 *Qui fait quoi?* People in the video talk about present or future professions. Write the letter of the profession on the right that corresponds to the name of the person who is in that profession now, or who wants to be in it someday.

1. _____ le père de Leïla   A. homme d'affaires

2. _____ la mère de Julien   B. cuisinier

3. _____ Leïla   C. coiffeuse

4. _____ le père de Christophe   D. médecin

5. _____ la mère de Leïla   E. agent de police

6. _____ le père d'Amanda   F. femme au foyer

7. _____ le père de Julien   G. dentiste

8. _____ Christophe   H. avocate

9. _____ la mère de Christophe   I. infirmière

3 *Quel temps fait-il?* In the video you hear some sentences about the weather. Put them in chronological order according to the first time they are said. Begin with "1."

A. _____ Il fait très, très chaud.

B. _____ Il fait un peu frais.

C. _____ Il fait beau aujourd'hui.

D. _____ Il ne pleut pas.

E. _____ Il ne fait pas beaucoup de vent.

F. _____ Il pleut.

G. _____ Il fait froid.

H. _____ Il fait chaud.

I. _____ Il fait du soleil.

J. _____ Il fait si beau aujourd'hui.

K. _____ Qu'il fait chaud aujourd'hui!

L. _____ Il fait souvent mauvais.

POST-VIEWING ACTIVITIES

 4 *Répondez.* Answer the questions that follow based on the information provided in the video. Use complete sentences.

1. D'où viennent les parents de Leïla?

   _____

2. Leïla a des frères et des sœurs?

   _____

3. D'où vient l'ami d'Amanda?

   _____

4. Où vont Aurélie et Julien?

   _____

5. Avec qui est-ce que Leïla fait du vélo?

   _____

6. Quel temps fait-il au Maroc en hiver?

   _____

7. Qui est dentiste, le père ou la mère de Julien?

   _____

8. Le demi-frère de Julien s'appelle comment?

   _____

5 *C'est ou il/elle est?* These phrases were said in the video, but were they preceded by *c'est* or *il/elle est?* Fill in the blank with *c'est*, *il est* or *elle est*, as appropriate.

1. _____ française.

2. _____ cuisinier.

3. _____ dentiste.

4. _____ si bon

5. _____ sympa.

6. _____ belle.

7. _____ l'école!

8. _____ coiffeuse.

9. _____ mon ami.

6 Fill in the blanks on these satellite images of North America, Europe and North Africa with the names of the places referred to in the following sentences.

1. Amanda est d'ici.

2. Le festival de cinéma est ici en juillet.

3. Les parents de Leïla viennent d'ici.

4. Les deux dentistes sont d'ici.

5. L'ami d'Amanda est d'ici.

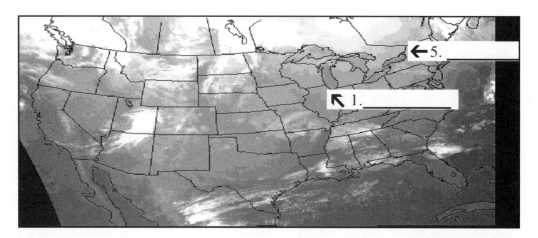

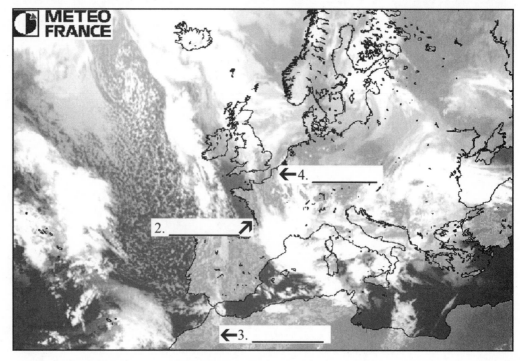

7 *Répondez.* Answer the questions that follow based on the information you see in this ad from the newspaper *Sud Ouest.*

VOTRE RÉGION VUE DE L'ESPACE !

Une collection inédite de 4 images satellite d'une beauté exceptionnelle et d'une redoutable précision

❶ LA ROCHELLE-ILE DE RÉ   ❷ BORDEAUX-GIRONDE
❸ ARCACHON-LANDES   ❹ PAYS BASQUE
              ❺ RÉGION AQUITAINE (60 x 80cm)

Une superbe idée de cadeaux de Noël

Des documents pédagogiques et riches d'informations
présentés sous forme de luxueux posters pelliculés 50 x 70 cm

18,30 € L'UN
15,20 € L'UN
POUR UNE COMMANDE DE 4 ET PLUS

COMMANDEZ VITE LE SPECTACLE GRANDIOSE DU SUD-OUEST VU DE SATELLITE
Expédition en Colissimo sous tube cartonné

BON DE COMMANDE A RETOURNER A : SUD OUEST Service Promotion Place Jacques-Lemoîne. 33094 BORDEAUX Cedex

NOM :.......................................   Prénom :.......................................

Adresse.......................................   Code postal.................   Ville.......................

Oui, je commande les images satellite suivantes, format 50 x 70 cm

❶ La Rochelle-Ile de Ré   x   ex.   ❷ Bordeaux-Gironde   x   ex.
❸ Arcachon-Landes   x   ex.   ❹ Pays Basque   x   ex.
              ❺ Région Aquitaine (60 x 80 cm)

Soit   posters x 18,30 € **TTC** ' =   € **TTC**
' Rayer la mention inutile   15,20 € **TTC** =   € **TTC**
                  Frais d'envoi colissimo   =   5.94 € **TTC**

            Montant total de ma commande   =   € **TTC**
Je joins à ma commande un chèque à l'ordre de M. SAT Editions

	Question	Answer
1.	What is being sold in this newspaper ad?	
2.	Which poster (1, 2, 3 or 4) has La Rochelle in it?	
3.	How much does it cost?	
4.	If you bought all four, how much would you save on each one?	
5.	What information do you write in the blanks of the order form?	
6.	Where do you mail your order form?	
7.	Make your check out to:	

NOM:_____   DATE:_____

8 *Le business international.* Answer the following questions based on the logos of the French international businesses on the previous page.

1. Which company would you ask for information about skiing in the Alps?

   _____

2. Which company is located in the city where Julien's dad and stepmother live?

   _____

3. Where would you go to get a loan or open a checking account?

   _____

4. Which one is located in the region of La Rochelle?

   _____

5. Where would you go to pay your phone bill?

   _____

6. Where would you pay your electric bill?

   _____

7. Which company launches rockets?

   _____

Unité 7

VIEWING ACTIVITIES

1 *Qu'est-ce qu'on porte?* Each time you hear the name of an article of clothing, mark an "X" in the appropriate box.

1. pantalon		6. jean	
2. jupe		7. chaussures	
3. bas		8. tennis	
4. pull		9. baskets	
5. veste		10. chapeau	

2 *Tu ou vous?* As people speak to each other in the following situations, listen to see if they say *tu* or *vous*. Mark an "X" in the appropriate box.

	tu	vous
1. Mériam to the customer looking for pants		
2. Aurélie to Leïla		
3. Mériam to Aurélie		
4. Mériam to Julien as he enters the store		
5. Julien to Mériam		
6. Mériam to Julien after they've been introduced by Leïla		

3 *L'ordre correct.* You will hear the following sentences during the video. But here they're listed out of order. Number them from "1" to "8" according to when you first hear each sentence.

A. _____ Elle coûte 49 euros.

B. _____ Je fais du 36.

C. _____ Il coûte aussi 50 euros.

D. _____ On va au Macdo?

E. _____ Vous cherchez quelque chose?

F. _____ Et voici un 40.

G. _____ Je vais chercher un 34.

H. _____ Elle est moche!

POST-VIEWING ACTIVITIES

4 *Vrai ou faux?* If each sentence is true according to what happened in the video, put a check under *Vrai*. If not, put a check under *Faux*.

Vrai	Faux	
		1. Aurélie a besoin d'une jupe.
		2. Leïla va à la boum de Sandrine.
		3. La sœur de Leïla s'appelle Mériam.
		4. Julien cherche des chaussures.
		5. Leïla n'est pas française.
		6. Julien et Aurélie vont manger une pizza.
		7. Demain, il y a l'interro d'anglais.
		8. On va danser à la boum samedi.

5 *Qui parle?* Can you remember who said these sentences? Write the letter of the person who said each one in the blank next to it.

1. _____ Quelle taille faites-vous?   A. Mériam

2. _____ Quelle couleur préférez-vous?   B. Julien

3. _____ Mériam, je te présente Aurélie.   C. Leïla

4. _____ Leïla a une photo de moi?   D. Aurélie

5. _____ Je n'aime pas Saïd.

6. _____ Ça va être sympa d'aller danser....

6 *Répondez.* Answer the questions that follow using complete sentences. Base your answer on what happened in the video.

1. Qui va avoir une boum?

   _____

2. Qui a une photo de la classe?

   _____

3. La vendeuse s'appelle comment?

   _____

4. Julien, quelle taille fait-il?

   _____

5. Le cousin de Leïla s'appelle comment?

   _____

6. Quand est-ce que Leïla va au Maroc?

   _____

AU BHV, SATISFAIT OU REMBOURSE

BLACK & DECKER BD 405 R, Perceuse sans fil, 4,8 volts, visse/dévisse, mandrin 10 mm, avec chargeur
44 €

RYOBI BD 480 R, Perceuse sans fil, 4,8 volts, visse/dévisse, mandrin 10 mm, embrayage réglable 4 positions, avec chargeur
59 €

SKIL 2503 H, Perceuse sans fil, 7,2 volts, visse/dévisse, charge rapide 1 heure, mandrin 10 mm, 2 vitesses débrayables, avec chargeur
89 €

PEUGEOT 6 CP 2, Perceuse sans fil, 7,2 volts, visse/dévisse à contrôle électronique de couple, 2 vitesses, mandrin 10 mm, avec chargeur
102 €

RYOBI BD 1025, Perceuse sans fil, 9,6 volts, visse/dévisse, variateur électronique, mandrin 10 mm, avec chargeur
155 €

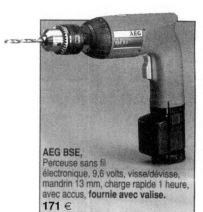

AEG BSE, Perceuse sans fil électronique, 9,6 volts, visse/dévisse, mandrin 13 mm, charge rapide 1 heure, avec accus, **fournie avec valise.**
171 €

7 *Un cadeau.* After watching the latest episode of "Home Improvement," your family decides to buy your uncle an electric drill for his birthday. Answer the following questions based on the catalogue descriptions on the previous page.

1. Are any of these drills made by American companies?

   _____

2. Which French company that makes one of these drills also makes cars and bikes?

   _____

3. How much does the least expensive 7.2 volt drill cost?

   _____

4. Which drills are the most powerful (have the highest voltage)?

   _____

5. Do they all come with a charger for the battery?

   _____

6. The motto of this store is "Au BHV, satisfait ou remboursé." What do you think this means?

   _____

CENTRE AQUATIQUE

L'EAU à 29°

A 5 minutes de La Rochelle, le Centre Aquatique de Châtelaillon, vous accueille. Glisses et frissons assurés sur de multiples toboggans. Plaisir et détente dans une eau à 29°. Ouvert 7 jours/7 de 10h à 21h. Animations , jeux, tous les mardis et vendredis du 12/07 au 30/08. A bientôt !!

L'été toute l'année !

Face au Port - 17340 Châtelaillon-Plage
Tél. 46 56 44 11

EQUITATION

SOCIÉTÉ HIPPIQUE AUNIS LA ROCHELLE,
Ferme St-Mathurin
17220 La Jarne   Tél. 46 44 32 34

Antoine ALBEAU

A. Albeau, champion du monde - Photo : Cardineau

NEWAY PASSION

Photo : PST

Avenue Marillac, les Minimes - 17000 La Rochelle
Tél. 46 45 14 90 - Fax. 46 45 45 77

LA ROCHELLE LA NUIT

Club **OXFORD** Karaoké
DISCOTHEQUE

La discothèque N°1 de La Rochelle, où les jeunes et moins jeunes se côtoient dans une ambiance dynamique. Nombreuses soirées à thèmes.
Club MCM... Ouvert tous les soirs à partir de 23 H
Complexe de la Pergola - Plage de La Rochelle
Tél. 46 41 51 81

Le Tire Bouchon

Propriétaire Chef de Cuisine : **J.-M. LEBLAIE**

16, rue du Cordouan

17000 LA ROCHELLE

☎ **46 41 68 00**

---

8 *Qu'est-ce qu'on fait ou qu'est-ce qu'on porte?* Answer the following questions about what you would do or wear if you went to the places in or near La Rochelle shown on the previous page.

1. Where would you go to do some karaoke?

   _____

2. Where would you go to find water at 29º?

   _____

3. Which one of these places is located near La Rochelle in La Jarne?

   _____

4. If you were going to Le Tire Bouchon, would you be more likely to wear shorts and a T-shirt or more formal clothes?

   _____

5. Would a girl be more likely to wear jeans or a skirt at the Société Hippique?

   _____

6. Where would you most likely be going if you were wearing a swim suit?

   _____

POST-VIEWING ACTIVITIES

4 *Répondez.* Answer the questions that follow in complete sentences. Base your answer on what happened in the video.

1. Pourquoi est-ce que Leïla ne veut pas aller au Maroc après l'école?

   _____

2. Pourquoi est-ce que Leïla ne peut pas manger?

   _____

3. Qu'est-ce qu'on mange pour le grand repas de famille demain soir?

   _____

4. Qu'est-ce que Leïla va acheter?

   _____

5. Pourquoi est-ce que Julien n'est pas bavard?

   _____

6. Est-ce que Leïla veut être la femme de Saïd?

   _____

7. Avec qui est-ce que Julien va étudier?

   _____

5 *Quelle réponse?* How were the questions that follow answered in the video? Circle the letter of the correct answer.

1. Ça finit quand, le Ramadan?

   A. Le 13 mars.

   B. Aujourd'hui.

   C. Mercredi.

2. J'adore le couscous. Alors, qu'est-ce qu'on va acheter?

   A. On va acheter des légumes.

   B. On va acheter 11 kilos de bananes.

   C. On va acheter une boîte de couscous.

3. Combien d'oignons voulez-vous?

   A. Un kilo.

   B. Je ne veux pas d'oignons.

   C. Cinquante, s'il vous plaît.

4. Mais ta mère, elle ne travaille pas, n'est-ce pas?

   A. Oui, elle ne travaille pas. Mais mon père est cuisinier.

   B. Si, elle est professeur.

   C. Si, elle travaille beaucoup. Elle est femme au foyer.

5. Alors, Leïla, ce cousin au Maroc? Il est comment? Beau? Il est sympa?

   A. Ah oui, il est très beau!

   B. Beau.... Sympa... peut-être.

   C. Il est moche, très moche.

6. Et c'est toi aussi qui fais le repas?

   A. Oui, ma sœur, Mériam, et moi.

   B. Non, c'est mon père qui fait le repas.

   C. Non, c'est toujours ma mère.

6 *Comment?* What did people really say? Beneath each name are five sentences. But one or two of them have been added that the person did not say. Circle the letter of each sentence that the person did not say.

Leïla

A.   Et je n'aime pas Saïd.

B.   On mange toujours des hot-dogs.

C.   J'adore le Maroc.

D.   Mon bus!

E.   Je ne peux pas manger.

Aurélie

A.   Oh, j'adore le couscous.

B.   Julien est mon fiancé.

C   Qu'est-ce qu'on va manger demain soir?

D   Je veux aller au Maroc.

E.   Mais... c'est ton fiancé?

Julien

A.   Tu es plus bête que la prof de français.

B.   J'en ai marre.

C   J'adore les champignons.

D.   Tu ne peux pas être moins bavard?

F.   On parle d'autre chose, hein?

7 *Qu'est-ce que les bébés adorent?* Answer the questions on the following page based on the ad.

C'est avec enthousiasme
que le Président
accueille une aussi bonne
réforme de l'éducation.

P'tit Duo, le premier P'tit Pot
qui lui apprend à distinguer les goûts.

En créant "P'tit Duo", Nestlé propose des repas savoureux séparant la viande et le légume. Carottes-Poulet, Petits pois-Bœuf, Haricots verts-Saumon, Tomates-Jambon : votre bébé apprend désormais à distinguer ces goûts dès l'âge de 6 mois.

Chez Nestlé, le Président c'est bébé.

1. What is being advertised here?

   _____

2. What are the ingredients in the jar that is pictured?

   _____

3. This product is intended for a child of what age?

   _____

4. Why do you think the name of the product uses *P'tit* instead of *Petit*?

   _____

5. Why is it called *Duo*?

   _____

6. What other flavors are available?

   _____

7. What do you think the slogan at the bottom of the ad means in English?

   _____

8 *On va manger!* Use the information about restaurants on the *île d'Oléron* to answer the questions that follow.

RESTAURATION
RESTAURANTS RESTAURANTS
RESTAURANTS, BRASSERIES, PIZZERIAS ...

Nom / Adresse	Localité / Code Postal	Téléphone / Fax	Type de restauration	Couverts Salle	Terrasse	Vue sur port ou mer	Cour ou jardin	Parking privé	Titres de paiement acceptés	Période d'ouverture
LA FORÊT 16, boulevard Wiehn	Saint-Trojan 17370	Tél. **46 76 00 15** Fax. 46 76 14 67	Traditionnelle Spécialités	100	30	❑	❑	❑	CB - DC TR - CV	1er avril au 14 oct.
LE JARDIN ROMAIN Le Port	Saint-Trojan 17370	Tél. **46 76 09 19**	Créative Pizzéria	40	40	❑			CB - AE - DC TR - CV - CR	15 février au 15 nov.
LE LAVAGNON 11, rue du Port	Saint-Trojan 17370	Tél. **46 76 15 17** Fax. 46 76 11 70	Créative Traditionnelle	72	60				CV - CB TR - CR	10 fév. 95 au 2 janv. 96
LA MARÉE Le Port	Saint-Trojan 17370	Tél. **46 76 04 96**	Fruits de mer Poissons	80	40	❑			CB - AE DC	1er avril au 3 oct.
LA PAIX 23, rue de la République	Saint-Trojan 17370	Tél. **46 76 01 36**	Traditionnelle	60				❑	CB - CV	1er février au 30 sept.
DU PORT Esplanade du Port	Le Château 17480	Tél. **46 47 61 30** Fax. 46 47 68 85	Traditionnelle Fruits de mer	180	70	❑			CB - AE TR - CV - CR	Toute l'année
AMIRAL Baie de la Rémigeasse	Dolus d'Oléron 17550	Tél. **46 75 37 89** Fax. 46 75 49 15	Créative	80		❑		❑	CB - AE	mi-avril à fin sept.
LA CAMPAGNE Domaine du Fief Norteau	Saint-Pierre 17310	Tél. **46 47 25 42**	Cuisine de la mer Traditionnelle	25			❑	❑	AE - CB	Mars au 30 sept. Toussaint au 1 janv.

Question	Answer
1. To which restaurant would you go if you wanted to eat pizza?	
2. Which restaurant specializes in fish?	
3. Are there tables outside at the *Amiral?*	
4. Is parking available at *La Paix?*	
5. When is *La Forêt* open?	
6. What is the name of the restaurant in the town of Le Château?	
7. Which restaurants do not accept the American Express card?	

Unité 9

VIEWING ACTIVITIES

1 *Qui parle?* Who says the sentences that follow? As you hear each one, write the letter of the person who says it in the blank.

1. _____ On a une petite voiture électrique.   A.   Leïla

2. _____ Vous avez une télé dans votre chambre?   B.   La mère de Leïla

3. _____ Mériam, va chercher le grand vase bleu....   C.   Aurélie

4. _____ C'est mon petit oiseau Jeff.   D.   Le père d'Aurélie

5. _____ Non, je veux bien un peu de thé, s'il vous plaît.

6. _____ Aurélie, je te présente mon père.

7. _____ Je voudrais habiter au Maroc un jour.

2 *L'ordre correct.* You will hear the sentences that follow during the video. But here they're listed out of order. Number them from "1" to "6" according to when you first hear each sentence.

A. _____ Leïla parle souvent de vous.

B. _____ On va mettre la table.

C. _____ Qu'est-ce qu'il peut bien faire ici?

D. _____ Ben, un garçon avec un vélo.

E. _____ À Paris, c'est moins bien.

F. _____ Je suis beaucoup plus paresseuse.

3 *Où sont-ils?* In the video you will hear people talk about where they live, rooms in their house and things that are in those rooms. Each time you hear one of the words listed below, mark an "X" next to it. You will hear some words more than once and some not at all.

fenêtre		pièce	
appartement		cuisine	
W.-C.		salle de bains	
escalier		chambre	
immeuble		garages	
armoire		maison	
placard		salle à manger	
balcon		baignoire	

POST-VIEWING ACTIVITIES

4 *Vrai ou faux?* If each sentence is true according to what happened in the video, put a check under *Vrai*. If not, put a check under *Faux*.

Vrai	Faux		
		1.	Aurélie donne les fleurs à Mériam.
		2.	Aurélie prend du thé vert.
		3.	Aurélie est plus paresseuse que Leïla.
		4.	Les verres viennent du Maroc.
		5.	Leïla a une télé dans sa chambre.
		6.	Le père de Leïla s'appelle Jeff.
		7.	Les grands-parents de Leïla habitent à Rabat.
		8.	On fait le couscous dans le micro-onde.

5 *Répondez.* Answer the questions that follow using complete sentences. Base your answer on what happened in the video.

1. Qu'est-ce qu'on mange avec les boissons?

   _____

2. Est-ce que la grand-mère de Leïla regarde beaucoup la télé?

   _____

3. Est-ce que Leïla a une photo de son cousin Saïd?

   _____

4. Est-ce que le père de Leïla préfère Paris ou La Rochelle?

   _____

5. Pourquoi est-ce que la mère de Leïla n'aime pas la France?

   _____

6. Pourquoi est-ce qu'on met le couscous sur le balcon?

   _____

6 *Quelle réponse?* For each sentence on the left, write the letter of the sentence on the right that follows it in the video.

1. _____ Tu vas bien?
Enchanté.

A.   Bonsoir, Mademoiselle.

2. _____ Papa, je te présente Aurélie.

B.   Oui, très bien, merci.

3. _____ Elles sont très jolies, vos fleurs,
Aurélie. C'est gentil.

C.   Ah oui, beaucoup.

4. _____ Vous travaillez bien à l'école?

D.   Et derrière il y a un jardin.

5. _____ Et devant l'immeuble, il y a
des arbres.

E.   Oui, mais pas aussi bien que
Leïla.

6. _____ Tu aimes bien aller là-bas?

F.   Je vous en prie, Madame.

7 *Le ticket de métro.* A picture is worth a thousand words. Use the pictures to help you answer questions about how to take care of your subway tickets.

1.	List ten cognates (words that have a similar spelling and meaning in both French and English) that you see here.	
2.	This information is intended to help people protect the dark strip on the back of their subway tickets. What kind of strip is this?	
3.	Based on the picture next to the sentence, what does *Ne me pliez pas* mean?	
4.	What happens if you put a subway ticket in the stamping machine on a bus?	
5.	Based on the picture of the ticket by the purse, what is an *aimant?*	
6.	What should a woman be careful about when taking a subway ticket out of her purse?	

NOM:_____   DATE:_____

8 *Les boissons.* Answer the questions on the next page, based on the ad from *Intermarché*, a supermarket in La Rochelle.

1,29 €
JUS D'ORANGE OU DE RAISIN
PAQUITO
les 6 briquettes de 20 cl
DONT 1 BRIQUETTE GRATUITE
(soit le litre 1,08 €)

2.18 €
JUS D'ORANGE
JOKER
les 6 boîtes de 33 cl
DONT 1 GRATUITE
(soit le litre 1,10 €)

1,29 €
PEPSI COLA
les 6 boîtes de 33 cl
DONT 1 GRATUITE
(soit le litre 0,65 €)

4,16 €
le lot de 6
NECTAR D'ORANGE
JOKER
le lot de 6 briques de 1 litre
DONT 1 GRATUITE
(soit le litre 0,68 €)

1,13 €
le lot de 6
EAU MINÉRALE
AIX LES BAINS
les 6 bouteilles de 50 cl
DONT 1 GRATUITE
(soit le litre 0,39 €)

Du Mardi 18 au Samedi 29 Juin

C'est à toi!
Level One
©EMC

1. What two brands of orange juice are advertised?

   _____

2. Which orange juice costs the least per liter? How much is it?

   _____

3. What do you get free with the purchase of six *Paquito* juice boxes?

   _____

4. How many cans of Pepsi are there in a package?

   _____

5. How many centiliters does a can of Pepsi contain?

   _____

6. What brand of mineral water is advertised?

   _____

7. When are these items on sale?

   _____

Unité 10

VIEWING ACTIVITIES

1 *L'ordre correct.* You will hear the sentences that follow during the video. But here they're listed out of order. Number them from "1" to "7" according to when you first hear each sentence.

A. _____ Ce n'est peut-être rien.

B. _____ Il n'y a personne qui travaille comme toi.

C. _____ Tu ne peux plus rester au lit.

D. _____ Tu ne veux pas aller au cinéma avec moi?

E. _____ Je n'ai pas de fièvre.

F. _____ Mais tu n'es jamais malade, toi.

G. _____ Ça ne va pas bien?

2 *Qui parle?* Who says the sentences that follow? As you hear each one, write the letter of the person who says it in the blank.

> A. Aurélie D. Julien
> B. La mère d'Aurélie E. La grand-mère
> C. Leïla d'Aurélie

A. _____ Il faut venir prendre ton petit déjeuner.

B. _____ Je ne peux pas aller à l'école aujourd'hui.

C. _____ Les garçons, ce n'est pas toujours facile, n'est-ce pas?

D. _____ Le film commence à huit heures. Tu viens?

E. _____ Je n'ai pas peur de cette interro.

F. _____ On va au cinéma... ensemble.

3 *Le corps.* Each time you hear the name of a part of the body, mark an "X" on that part of the basketball player's body.

POST-VIEWING ACTIVITIES

4 *Répondez.* Answer the questions that follow using complete sentences. Base your answer on what happened in the video.

1. Aurélie, qu'est-ce qu'elle a?

   _____

2. Qui vient pour le déjeuner jeudi?

   _____

3. Qui va parler à Madame Chevalier?

   _____

4. Qu'est-ce que Leïla va donner à Aurélie après les cours?

   _____

5. Pourquoi est-ce que Julien ne peut pas venir chez Aurélie ce soir?

   _____

6. Pour les parents de Leïla, où va-t-elle ce soir?

   _____

5 *Comment?* What did people really say? Beneath each name are five sentences. But one or two of them have been added that the person did not say. Circle the letter of each sentence that the person did not say.

Aurélie	Leïla	Julien
A. Je n'ai pas besoin d'un médecin.	A. Je viens chez toi cet après-midi.	A. Dis, Leïla, qu'est-ce que tu fais ce soir?
B. Leïla, tu es très méchante.	B. Non, je regrette, Julien, c'est pas possible.	B. J'ai beaucoup d'admiration pour toi, Leïla.
C. Demain je vais à l'école.	C. Je viens avec tes devoirs pour demain.	C. Dis rien à tes parents.
D. J'adore ces chocolats.	D. Je ne peux pas aller à l'école aujourd'hui.	D. Tu ne veux pas aller au cinéma avec moi?
E. Tu ne peux pas aller au cinéma avec Julien!	E. J'ai mal au cœur.	E. Alors, ce soir... sept heures devant le cinéma le Dragon.

6 *Quelle réponse?* For each question on the left that was asked in the video, write the letter of the sentence on the right that answered it.

1. _____ Allô, c'est Leïla?

2. _____ Tu es malade?

3. _____ Qu'est-ce qu'elle a?

4. _____ Tu ne veux pas aller au cinéma avec moi?

5. _____ Alors, l'interro d'anglais, c'est quoi?

6. _____ Tu peux aller au cinéma avec un garçon?

A. Oh, je ne suis pas en bonne forme.

B. Oui, c'est moi.

C. Non, mais... je peux être avec toi et faire mes devoirs.

D. Non, je regrette, Julien, c'est pas possible.

E. Elle a mal au ventre.

F. C'est ces pages.

NOM:_____ DATE:_____

7 *Des infos.* Answer the questions based on the information about businesses on the *île d'Oléron.*

```
LOCATION DE VOITURE

          DOLUS
EUROPCAR, RD 734          46.47.18.28
        SAINT-PIERRE
HERTZ, route Nationale     46.47.00.44
```

```
ALARME - SURVEILLANCE

            DOLUS
AGRESSE, Les Chasseries         46.75.39.74
           DOMINO
SÉCURITÉ OLÉRONAISE,Grand Cluzeau  46.76.77.40
```

```
SUPERMARCHÉS - ALIMENTATION

            BOYARDVILLE
BOYARDIAL, 135, rue 158ᵉ       46.47.23.14
          LA BRÉE-LES-BAINS
VAUZELLE, rue Général de Gaulle  46.47.80.27
            LE CHATEAU
COOP , place de la République    46.47.61.06
POINT COOP, rue Reytre Frères    46.47.61.06
SUPER U,
15, Avenue d'Antioche            46.47.70.22
```

```
PHOTO

            LE CHATEAU
OLÉRON-PHOTO, Place République   46.47.60.59
            CHÉRAY
CHEMIN H., place Centre          46.76.61.64
```

```
RADIO - TÉLÉ - MÉNAGER

          LA BRÉE-LES-BAINS
ROSSELGONG B., 14, rue Boulassiers  46.75.92.94
            LE CHÂTEAU
EUROTELEC, rue Clémenceau        46.47.75.60
```

```
BANQUES

            LE CHÂTEAU
B.N.P., rue Omer Charlet          46.47.60.17
CRÉDIT INDUSTRIEL DE L'OUEST,
9, rue Reytre Frères              46.47.60.31
```

Question	Answer
1. To what store can you go to get your film developed in Le Château?	
2. What is the telephone number of the *Banque Nationale de Paris* in Le Château?	
3. If you want to buy a TV in Le Château, to what store can you go?	
4. To what agency can you go to rent a car in Dolus?	
5. To get groceries in La Brée-les-Bains, to what store can you go?	
6. If you are concerned about home security in Domino, to what business can you go?	

8 *On va au zoo.* Answer the questions that follow about the zoo located near La Rochelle. Use the information provided in the ad.

1. What is the name of the zoo?

   _____

   _____

2. How far is it located from the city of Royan?

   _____

   _____

3. How many animals and birds are there at this zoo?

   _____

   _____

4. They have a special show featuring a type of bird commonly owned as a pet in the United States. What kind of bird is it?

   _____

   _____

5. When is the zoo open?

   _____

   _____

6. Are dogs admitted to the zoo?

   _____

   _____

ZOO
DE LA PALMYRE
à 10 km de Royan

1er Parc Zoologique
de FRANCE
de classe internationale

Plus de **1000**
animaux et oiseaux

Spectacles d'otaries
et de perroquets dressés

OUVERT TOUS LES JOURS
TOUTE L'ANNÉE
Tél. 46.22.46.06

Les chiens, même en laisse, ne sont pas admis au Zoo, par mesure de sécurité et d'hygiène.

Unité 11

VIEWING ACTIVITIES

1 *Le passé composé.* You will hear people speak using the past tense. Each time you hear a verb in the past tense during one of these scenes, mark an "X" in the box next to that scene.

Scene	Passé composé
1. Julien and Christophe meet the Belgian girls.	
2. Julien and Christophe talk about Julien's relationship with Leïla and Aurélie.	
3. Julien, Christophe, Catherine and Marine are at the beach.	

2 *C'est où?* In the video you will hear where certain people and places are located. Circle the letter of the appropriate location for each one.

1. la maison de vacances du père de Julien

   A. à l'île de Ré

   B. à Lille

   C. à La Rochelle

2. le père de Julien

   A. à La Rochelle

   B. dans l'ouest de la France

   C. dans le nord de la France

3. une banque

   A. dans le village

   B. près de la plage

   C. à Saint-Martin

4. un hôtel

   A. près de l'église

   B. à la plage

   C. loin de l'église

5. un café-tabac

   A. à Paris

   B. près de la mairie

   C. près de la grande place

6. une boîte

   A. près du camping

   B. près de la plage

   C. à Saint-Martin

3 *Qui parle?* Who says the sentences that follow? As you hear each one, write the letter of the person who says it in the blank.

A. Christophe	C. Catherine
B. Julien	D. Marine

1. _____ Oh, c'est sympa, je trouve, d'être ici tous les deux.

2. _____ Excusez-nous.

3. _____ Non, nous étudions à Eurocentre à La Rochelle.

4. _____ C'est juste derrière.

5. _____ Mais vous êtes ensemble pour toujours, alors?

6. _____ Elle est chaude l'eau?

7. _____ Je t'aime.

POST-VIEWING ACTIVITIES

4 *Vrai ou faux?* If each sentence is true according to what happened in the video, put a check under *Vrai*. If not, put a check under *Faux*.

Vrai	Faux	
		1. La nouvelle femme du père de Julien s'appelle Marine.
		2. En France, on ne peut pas aller à une banque le samedi.
		3. Les deux Belges habitent à Bruxelles.
		4. La plage de la Conche est près du camping des Belges.
		5. On peut acheter des timbres dans un café-tabac.
		6. Julien a téléphoné à Leïla à Paris.

5 *Répondez.* Answer the questions that follow according to what happened in the video. Use complete sentences.

1. Dans quelle ville habite le père de Julien?

   _____

2. Pourquoi est-ce que les deux filles cherchent une banque?

   _____

3. Quand est-ce que les deux Belges sont arrivées à La Rochelle?

   _____

4. Julien, qu'est-ce qu'il a?

   _____

5. Qui est-ce que Julien préfère, Leïla ou Aurélie?

   _____

6. À quelle heure est-ce que les filles arrivent à la plage?

   _____

7. Qu'est-ce que Christophe invite les Belges à faire ce soir?

   _____

8. À qui est-ce que Julien a beaucoup pensé?

   _____

6 *L'ordre correct.* The events that follow took place in the video. But here they're listed out of order. Number them from "1" to "7" according to when they took place.

A. _____ Christophe a invité les filles à la plage.

B. _____ Leïla et Aurélie sont allées à Paris.

C. _____ On a nagé dans l'eau chaude.

D. _____ Les filles belges ont cherché une banque.

E. _____ Julien et Christophe sont allés à la maison du père de Julien pour le déjeuner.

F. _____ Julien est allé au cinéma avec Leïla.

G. _____ Aurélie a téléphoné à Julien.

7   *En vacances.* While vacationing on the *île d'Oléron*, you look for things to do. Answer the questions based on the two ads.

	Question	Answer
1.	At which business can you rent a catamaran?	
2.	Which business claims to have a great variety of bikes to choose from?	
3.	At which of these businesses can you rent a scooter?	
4.	Does *Vélos 17 Loisirs* have bikes for children?	
5.	Which business offers a special group rate?	

8 *Où est…?* Using this map of La Rochelle, give directions to go from one place to the next. Choose from the expressions in the box on the next page to fill in the blanks.

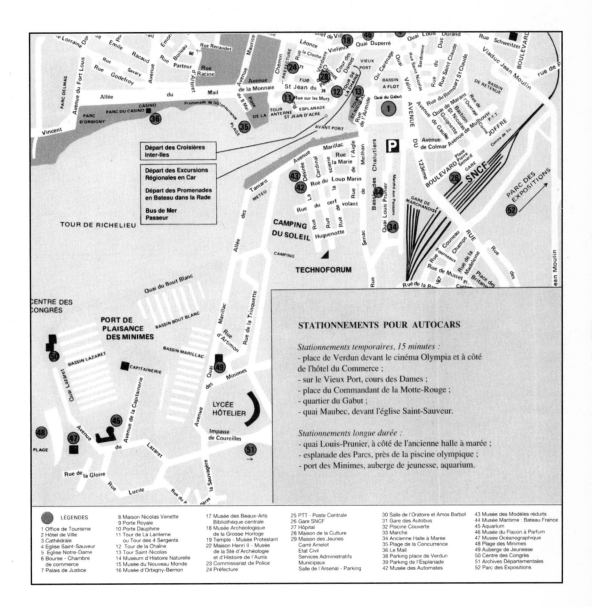

```
•  tournez à droite
•  tournez à gauche
•  allez tout droit
```

1. Pour aller de l'Auberge de Jeunesse (49) à la plage (48), vous

    _____ sur l'Avenue du Lazaret.

2. Pour aller du Centre des Congrès (50) au Musée Océanographique (47), vous

    _____.

3. Pour aller de la gare (26) à l'Office de Tourisme (1), vous

    _____ sur l'Avenue du 123ème.

4. Pour aller de l'Office de Tourisme (1) au Musée des Modèles réduits (43), vous

    _____ sur l'Avenue Marillac, et puis vous

    _____ sur la Rue La Désirée.

Unité 12

VIEWING ACTIVITIES

1 *Le passé composé.* You will hear people use irregular past participles when they speak in the past tense. Each time you hear one of these words, mark an "X" in the box next to it. Some of them are said more than once.

1.	vu	
2.	été	
3.	pris	
4.	fait	
5.	eu	
6.	venu	

2 *Qui parle?* Who says the sentences that follow? As you hear each one, write the letter of the person who says it in the blank.

1. _____ Alors, ce petit séjour à Paris?

2. _____ Elle est jolie, cette pyramide.

3. _____ Tu as vu la Joconde aussi?

A.	Julien
B.	Aurélie
C.	Leïla

4. _____ Loin de la famille pour la première fois.

5. _____ Et voilà le charmant cousin.

6. _____ Moi, un jus de fruit, s'il te plaît.

7. _____ Je ne suis pas bête. Je vois bien.

3 *L'ordre correct.* You will hear the sentences that follow during the video. But here they're listed out of order. Number them from "1" to "6" according to when you hear each one. One sentence has been added to the list that is not said in the video. Mark it with an "X."

A. _____ Leïla dans une boîte!

B. _____ Alors, Leïla, tu préfères Alexandre ou Julien?

C. _____ Tu vois quoi, Aurélie?

D. _____ Un jour, Leïla va être amoureuse d'Alexandre.

E. _____ Elle est vraiment belle.

F. _____ Voilà Notre-Dame.

G. _____ On a continué notre chemin sur les Champs-Élysées.

POST-VIEWING ACTIVITIES

4 *Répondez.* Answer the questions that follow according to what happened in the video. Use complete sentences.

1. Le matin de leur première journée à Paris, qu'est-ce que Leïla, Aurélie et Alexandre ont visité?

   _____

2. Où ont-ils pris un coca?

   _____

3. Où est-ce qu'ils ont fini leur première journée à Paris?

   _____

4. Où sont les tableaux impressionnistes de Monet et de Cézanne?

   _____

5. Pour Julien, qui est la fille la plus formidable?

   _____

5 *Comment?* What did people really say? Beneath each name are five sentences. But one or two of them have been added that the person did not say. Circle the letter of each sentence that the person did not say.

Aurélie	Leïla	Julien
A. On a vu un garçon sympa.	A. Tu es bête, Aurélie.	A. Je suis amoureux de toi.
B. Bon, on regarde mon film?	B. Je t'aime, Julien.	B. On peut aller dans un café ensemble.
C. Pour moi, Julien, tu es le garçon le plus sympa.	C. J'ai habité 16 ans près de Paris!	C. C'est toi que je préfère, Aurélie.
D. Alexandre va venir à La Rochelle.	D. Tu as demandé à Julien de venir?	D. Il est un peu vieux, non?
E. Les bateaux à Paris sont moches!	E. J'adore ton cousin, Aurélie.	E. Tu es vraiment la fille la plus formidable.

6 *Quelle réponse?* How were the questions that follow answered in the video? Circle the letter of the correct answer.

1. Qui est ce garçon?

   A. C'est mon cousin Alexandre.

   B. C'est le fils de Charles de Gaulle.

   C. C'est l'ami de Leïla.

2. Il est un peu vieux, non?

   A. Il a 22 ans.

   B. Oui, très vieux.

   C. Il a seulement 39 ans.

3. Ça ne te plaît pas de regarder ce film?

   A. Je ne veux pas aller au cinéma.

   B. Pas vraiment.

   C. Si, si. Pardon.

4. Tu as acheté quelque chose?

   A. Oui, cette jupe.

   B. Non, je n'ai pas d'argent.

   C. Oui, une BMW.

5. On va au cinéma ensemble?

   A. Oui, bien sûr.

   B. Non, Julien, c'est pas possible.

   C. Oui, et après on peut aller en boîte.

6. Tu vois quoi, Aurélie?

   A. Je vois que tu es amoureux de moi.

   B. Je vois que tu as quelque chose sur tes dents.

   C. Je vois bien que tu es amoureux de Leïla.

7 *Au musée.* Answer the questions based on the information about the *musée d'Orsay.*

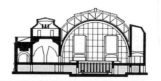

rez-de-chaussée
première
partie de la visite

▬ Sculpture 1850-1870

▢ Peinture

A Ingres et l'Ingrisme,
Delacroix, Chassériau,
Peinture d'Histoire
et portrait 1850-1880

B Daumier,
Collection Chauchard,
Millet, Rousseau, Corot,
Réalisme, Courbet

C Puvis de Chavannes,
Gustave Moreau,
Degas avant 1870

D Manet, Monet, Bazille et
Renoir avant 1870,
Fantin-Latour, Whistler,
Paysage de plein air,
Collection
Moreau-Nélaton,
Collection
Eduardo Mollard,
Réalisme, Orientalisme

montée directe vers
le niveau supérieur
Impressionnisme et
Néo-impressionnisme

Informations générales

Musée d'Orsay   répondeur
62, rue de Lille   informations
75007 Paris   générales : 45 49 11 11
tél. 45 49 48 14

Entrée principale : 1, rue de Bellechasse.
Entrée des Grandes expositions du M'O :
place Henry-de-Montherlant (sur le quai).
Entrée du restaurant après la fermeture
du Musée : 62 bis, rue de Lille.

Transports

- RER ligne C
  Station Musée d'Orsay.
- Bus : 84, 24, 68, 69 quai Anatole France
  73, rue de Solférino.
  84, 83, 63, 94 boulevard Saint-Germain.
  68, 69, rue du Bac.
- Métro Solférino : ligne 12.
- Taxis : rue de Solférino, quai Anatole France.
- Parcs de stationnement : Deligny,
  Montalembert, Concorde, Invalides.

Heures d'ouverture

- le mardi, mercredi, vendredi et samedi
  de 10 h 00 à 18 h 00
- le dimanche
  de 9 h 00 à 18 h 00
- le jeudi
  de 10 h 00 à 21 h 45.
- Entre le 20 juin et le 20 septembre,
  le Musée ouvre à 9 heures.
- Fermé le lundi.

	Question	Answer
1.	What number can you call to get a recording with general information about the museum?	
2.	If you take the *métro* to the museum, what is your stop?	
3.	At what time does the museum close on Sundays in April?	
4.	At what time does the museum open on Thursdays in May?	
5.	What day of the week is the museum closed?	
6.	If you want to see paintings by Renoir or Monet before 1870, to which section do you go?	

8 *On va à Paris!* Before you go to Paris, you can learn a lot about what you will see and do there by taking a cybertrip on the Internet. Answer the questions on the next page based on the Internet site. You can click on all the words and images.

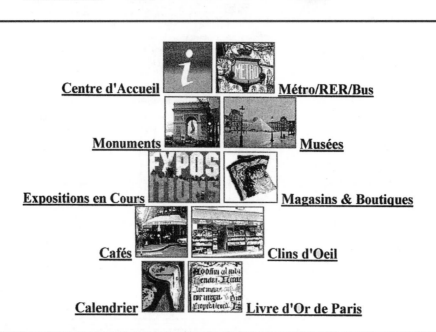

Les Pages de Paris

Paris

Centre d'Accueil   Métro/RER/Bus

Monuments   Musées

Expositions en Cours   Magasins & Boutiques

Cafés   Clins d'Oeil

Calendrier   Livre d'Or de Paris

Ecoles et Facs || **Carte interactive** des **Musées** et **Monuments.** || **Glossaire de Les Pages de Paris** ||
Les Gares de Paris || **Autres Liens** || **Petite Bibliographie** || **Index** || **Signer le Livre d'Or** ||
Rechercher dans Livre d'Or || **Comment pouvez vous participer ?** || **Les Pages de Paris FAQ** ||
Naviguer || **Quoi de Neuf?**

━ **Our Sponsors** ━ **Les Pages de Paris sont installees sur un IBM RISC System/6000** ━━

© 94/95   OFFICE DE TOURISME DE PARIS

1. What do you click on to get information about how to use public transportation in Paris?

   _____

2. To find out how much it costs to go to the top of the Eiffel Tower, what do you click on?

   _____

3. To get information about a certain museum's hours, what do you click on?

   _____

4. If you want information about shopping, what do you click on?

   _____

5. To find a list of places to get a beverage and a sandwich, what do you click on?

   _____

6. To see a calendar of special events in Paris, what do you click on?

   _____

7. What do you click on to get information about schools and universities?

   _____

8. What do you click on to find out where train stations are located?

   _____

Answer Key

Unité 1

1.   7 Sabrina
       4 Floriane
       2 Aurélie
       8 Charles
       1 Jean-Paul
       5 Julien
       6 Leïla
       3 Jacqueline

2.   These numbers should be circled: 0-10, 12, 13, 16, 18, 19.

3.   1. present, Aurélie
       2. hello, Aurélie's mom
       3. zero, Aurélie and Leïla
       4. mom, Aurélie
       5. no, Aurélie's mom and Leïla

4.   Kiss = 1
       No kiss = 2, 3, 4, 5

5.   Vrai = 1, 3, 4, 6
       Faux = 2, 5

6.   1. This is a taxi company.
       2. They are open 24 hours a day.
       3. Their phone numbers are 46.41.22.22 and 46.41.55.55.
       4. Yes, they will transport animals.
       5. Excursions are offered in the La Rochelle region to Venise Verte, îles de Ré, d'Oléron, Cognac and Côte de Beauté.
       6. Yes, it is possible to make a reservation in advance.
       7. Their fax number is 46.41.78.31.

Unité 2

1. J'aime = 1, 2, 4, 5, 6, 9, 10, 11, 12, 13, 14, 15
    Je n'aime pas = 3, 7, 8, 16

2. 1. C
    2. D
    3. A
    4. D
    5. B
    6. B
    7. A
    8. D

3. Leïla = 6 Xs
    Julien = 5 Xs
    maman = 3 Xs
    Aurélie = 13 Xs

4. Oui = 2, 3, 6, 7
    Non = 1, 4, 5

5. 1. B, B
    2. B, D
    3. A, B

6. 1. Oui, elle aime beaucoup Gérard Depardieu.
    2. Non, elle ne préfère pas étudier.
    3. Oui, elles étudient.
    4. Oui, elle aime beaucoup faire du cinéma.
    5. Oui, elle aime bien dormir.
    6. Non, elle n'aime pas faire du sport.
    7. Non, elle aime un peu le jazz.
    8. Non, elle ne reste pas manger.

7. 1. You would go there to exercise.
    2. The phone number is 46.43.88.36.
    3. Three English words in this ad are "body building," "step" and "stretching."
    4. Their address is 66, bd Winston-Churchill. A boulevard in France is named after this British prime minister to commemorate how he helped France during World War II.
    5. Yes, you can lift weights and get an aerobic workout here.
    6. To relax, you can use the sauna or jacuzzi.

8. 1. *LA FUITE* is a detective movie.
    2. The drama begins at 8:30 P.M. and ends at 10:16 P.M..
    3. Gérard Lanvin, Dominique Lavanant and Anémone star in the comedy.
    4. The director of the science fiction film is Richard Marquand.
    5. The longest film is *LE RETOUR DU JEDI*.
    6. If you wanted to go to bed before 11:00 P.M., you could watch any film except *LA FUITE*.

Unité 3

1. A. 3
    B. 5
    C. 1
    D. 2
    E. 4

2. Affirmatif = 1, 2, 6
    Négatif = 3, 4, 5

3. bof = 2 Xs
    moi = 7 Xs
    toi = 2 Xs
    s'il vous plaît = 6 Xs

4. Leïla = un jus d'orange
    Julien = un coca, une quiche, une salade
    Aurélie = une eau minérale, une crêpe, une glace au chocolat

5. 1. Non, ils ne vont pas au Macdo.
    2. Non, elle ne va pas à la boum de Muriel.
    3. Aurélie mange une crêpe.
    4. Leïla aime le jazz.
    5. Elle préfère la musique.

6. 1. muscles, Aurélie
    2. juice, Leïla
    3. vanilla, the server
    4. mineral, Aurélie
    5. classical, Leïla

7. 1. The ingredients in a Margherita pizza are tomato sauce with herbs and cheese.
    2. A Niçoise pizza has tuna, olives, anchovies and fresh tomatoes on it.
    3. A Créole pizza for three people costs 16,92 €.

4. You can order a Sylvestre, Caesar or Estivale salad.
5. The Caesar salad has garlic croutons.
6. The Estivale salad has black olives on it.

8.   1. This lunch was served on March 26.
    2. The heading means "This noon, we ate."
    3. The first course was salad.
    4. Chopped steak (hamburger) was served.
    5. Green beans came with the meat.
    6. There was garlic butter on the green beans.
    7. Cheese followed the main course.
    8. For dessert was a yogurt cake.
    9. Nicole is a cook.

Unité 4

1.   Leïla = B, E, F
    Aurélie = B, D, E, F
    Jean = A, C, F
    Julien = D

2.   lundi = 1 X
    mardi = 3 Xs
    mercredi = 1 X
    jeudi = 1 X
    samedi = 1 X

3.   J'aime = 1, 3, 4, 5, 6, 7, 8, 9, 10, 11, 16
    Je n'aime pas = 2, 12, 13, 14, 15, 17

4.   1. A. 2   B. 1   C. 3   D. 4
    2. A. 2   B. 1
    3. A. 3   B. 1   C. 2
    4. A. 3   B. 2   C. 1   D. 4

5.   Julien = D, E
    Aurélie = B, C
    Leïla = A, C

6.   1. Le cahier de maths d'Aurélie est sous le livre de biologie.
    2. Aurélie a besoin d'une trousse.
    3. La trousse est dans le sac à dos de Leïla.
    4. M. Gérard est un bon prof.

5. Elle n'aime pas manger à la cantine et elle n'aime pas le jambon.
6. Il aime la biologie, la physique et la chimie.
7. Non, Aurélie finit à 17h.

7. 1. The first showing is at 2:15 P.M.
    2. The latest starting time for *Pocahontas* is at the **Apollo Rochefort**.
    3. *Les Anges gardiens* is showing at the **complexe Dragon La Rochelle** and the **Complexe CGR Olympia La Rochelle**.
    4. The director is Jean-Marie Poiré.
    5. There are three showings on Sunday.

8. 1. The photography club meets on Wednesday.
    2. Mathieu Legros is in charge of the tennis club.
    3. The theater club meets on Tuesday from 7:30 P.M. to 9:30 P.M.
    4. The taxidermy club involves stuffing animals.
    5. The music club meets in the auditorium.
    6. The photography club meets for the longest period of time. It meets for four hours and 15 minutes.

Unité 5

1. mon = 6 Xs
    ma = 9 Xs
    mes = 2 Xs

2. A. 2
    B. 5
    C. 7
    D. 1
    E. 8
    F. 4
    G. 3
    H. 6

3. The following sentences should be circled:
    Le grand-père d'Aurélie: Il a 65 ans. Il a une femme.
    La tante d'Aurélie: Elle s'appelle Françoise. C'est la tante favorite d'Aurélie. Elle est timide.
    Le cousin d'Aurélie: Il est de Poitiers.
    La cousine d'Aurélie: Elle s'appelle Constance. Elle est timide. Elle a un poisson rouge et un chien.

4.   The following verbal reactions should be circled:
    First situation: J'en ai marre. Tu es bête, Éric! Tu donnes!
    Second situation: Tu es égoïste, Julien! Tu n'es pas sympa!

    The following non-verbal reactions should be circled:
    First situation: Grabs picture and turns away.
    Second situation: Sulks and walks away. Avoids eye contact with Julien.
                             Reluctant to dance with Julien.

5.   1. La date de son anniversaire est le 15 septembre.
       2. Elle a 17 ans.
       3. Il s'appelle Glou-Glou.
       4. Il arrive à 9h30.
       5. Il donne un CD à Aurélie.

6.   1. Aurélie
       2. Éric
       3. Constance
       4. Mathieu

7.   1. The three islands near La Rochelle are Ré, Oléron and Aix.
       2. It takes 30 minutes to get to Aix from Oléron. It takes one hour to get to La Rochelle from Aix.
       3. The ferry leaves La Rochelle on Friday, July 7, at 10:30 A.M. and 2:30 P.M.
       4. To get back to La Rochelle before 6:00 P.M., you would take the 4:00 P.M. ferry.
       5. Yes, a ticket for a pet costs 3 euoros.
       6. For information you call 46.50.51.88.

8.   1. The name of the region is Poitou-Charente.
       2. There are four departments in this region.
       3. Their names are Deux-Sèvres, Vienne, Charente and Charente-Maritime.
       4. La Rochelle is in Charente-Maritime.
       5. The surface area of the region is 25,800 square kilometers.
       6. There are 1,600,000 inhabitants in this region.

Unité 6

1.   There should be Xs by the numbers 2, 4, 5, 7, 8, 10, 11, 12, 14.

2.   1. B
       2. I
       3. D, H
       4. E
       5. F

6. A
7. G
8. E
9. C

3. A. 8
   B. 12
   C. 1
   D. 4
   E. 2
   F. 9
   G. 11
   H. 5
   I. 6
   J. 7
   K. 3
   L. 10

4. 1. Ils viennent du Maroc.
   2. Elle a une sœur, mais elle n'a pas de frère.
   3. Il vient du Canada.
   4. Ils vont à l'île de Ré.
   5. Elle fait du vélo avec Christophe.
   6. Il pleut et il fait souvent mauvais.
   7. Le père de Julien est dentiste.
   8. Il s'appelle Frédéric.

5. 1. Elle est
   2. Il est
   3. Il est
   4. C'est
   5. Il est
   6. Elle est
   7. C'est
   8. Elle est
   9. C'est

6. 1. Chicago
   2. La Rochelle
   3. le Maroc
   4. Lille
   5. Montréal

7. 1. Satellite posters of southwestern France are being sold in this ad.
   2. Poster #1 has La Rochelle in it.
   3. It costs 18,30 €.
   4. You would save 3,10 € on each one if you bought all four.

5. On the order form you write your last name, first name, address, zip code and city.
6. You mail your order form to SUD OUEST Service Promotion, Place Jacques-Lemoîne, 33094 BORDEAUX Cedex.
7. Make your check out to: M. SAT Editions.

8. 1. For information about skiing, ask the *Comité Régional du Tourisme Rhône Alpes*.
    2. Lille Metropolitan Area is located where Julien's dad and stepmother live.
    3. To get a loan or open a checking account, go to the *Crédit Lyonnais*.
    4. *Elf Aquitaine, Inc.* is located in the region of La Rochelle.
    5. To pay your phone bill, go to *France Télécom*.
    6. To pay your electric bill, go to *EDF (Électricité de France)*.
    7. *Arianespace* launches rockets.

Unité 7

1. 1. 3 Xs
    2. 9 Xs
    3. 1 X
    4. 1 X
    5. 1 X
    6. 7 Xs
    7. 2 Xs
    8. 1 X
    9. 1 X
    10. 2 Xs

2. tu = 2, 3, 6
    vous = 1, 4, 5

3. A. 3
    B. 5
    C. 7
    D. 8
    E. 1
    F. 2
    G. 6
    H. 4

4. Vrai = 1, 3, 8
    Faux = 2, 4, 5, 6, 7

5.   1. A
           2. A
           3. C
           4. B
           5. C
           6. D

6.   1. Sandrine va avoir une boum.
           2. Leïla a une photo de la classe.
           3. Elle s'appelle Mériam.
           4. Il fait du 36.
           5. Il s'appelle Saïd.
           6. Elle va au Maroc après l'école.

7.   1. Yes, Black & Decker and Skil are American companies.
           2. Peugeot is the French company that also makes cars and bikes.
           3. The least expensive 7.2 volt drill costs 89 euros.
           4. The Ryobi BD 1025 and the AEG BSE are the most powerful.
           5. Yes, they all come with a charger for the battery.
           6. The motto means that at BHV, you're satisfied or you get your money back (reimbursed).

8.   1. To do some karaoke, you would go to the *Club Oxford Discothèque*.
           2. To find water at 29°, you would go to the *Centre Aquatique*.
           3. The *Société Hippique* is located in La Jarne.
           4. At *Le Tire Bouchon* you would probably wear more formal clothes.
           5. At the *Société Hippique* a girl would probably wear jeans.
           6. If you were wearing a swim suit, you would probably be going to the *Centre Aquatique* or *Neway Passion*.

Unité 8

1.   A. 3
           B. 14
           C. 1
           D. 5
           E. 12
           F. 4
           G. 7
           H. 2
           I. 10
           J. 8

K. 15
L. 11
M. 6
N. 13
O. 9

2.   1. 1,21 €
       2. 4,02 €
       3. 2,38 €
       4. 1,49 €
       5. 1,95 €
       6. 1,95 €
       7. 2,44 €

3.   Answers to this activity will depend on interpretation. These are suggested answers:
       1. 1 X
       2. 4 Xs
       3. 2 Xs
       4. 2 Xs
       5. 1 X
       6. 3 Xs
       7. 9 Xs
       8. 1 X

4.   1. Elle veut étudier et travailler en France, et elle n'aime pas Saïd.
       2. C'est le Ramadan.
       3. Pour le grand repas de famille on mange du couscous.
       4. Elle va acheter des légumes, des fruits, du poulet et du pain.
       5. Il n'est pas bavard parce que les parents de Leïla veulent qu'elle retourne au Maroc après l'école.
       6. Non, elle ne veut pas être la femme de Saïd.
       7. Il va étudier avec Aurélie.

5.   1. B
       2. A
       3. A
       4. C
       5. B
       6. C

6.   Leïla = B
       Aurélie = B, D
       Julien = C

7.	1.	Baby food is being advertised.
	2.	The ingredients are carrots and chicken.
	3.	This product is intended for babies that are six months old.
	4.	*P'tit* is used instead of *Petit* because of how this word is said in normal conversation.
	5.	It is called *Duo* because there are two main ingredients—meat and vegetables.
	6.	The other flavors available are peas and beef, green beans and salmon, and tomatoes and ham.
	7.	The slogan means that at Nestlé, the baby is president.

8.	1.	To eat pizza you would go to *Le Jardin Romain*.
	2.	*La Marée* specializes in fish.
	3.	No, there are no tables outside at the *Amiral*.
	4.	Yes, parking is available at *La Paix*.
	5.	*La Forêt* is open from April 1 until October 14.
	6.	The restaurant in the town of Le Château is *Du Port*.
	7.	*La Forêt*, *Le Lavagnon* and *La Paix* do not accept the American Express card.

Unité 9

1.	1.	A
	2.	C
	3.	B
	4.	A
	5.	C
	6.	A
	7.	D

2.	A.	1
	B.	4
	C.	6
	D.	5
	E.	2
	F.	3

3.	fenêtre = 1 X
	appartement = 3 Xs
	W.-C. = 1 X
	escalier = none
	immeuble = 1 X
	armoire = 1 X
	placard = 1 X
	balcon = 1 X

	pièce = 1 X
	cuisine = 3 Xs
	salle de bains = 2 Xs
	chambre = 5 Xs
	garages = 1 X
	maison = 1 X
	salle à manger = 1 X
	baignoire = none

4. Vrai = 2, 3, 4, 5
Faux = 1, 6, 7, 8

5. 1. On mange des gâteaux avec les boissons.
2. Non, elle n'a pas la télé.
3. Non, elle n'a pas de photo de son cousin.
4. Il préfère La Rochelle à Paris.
5. Elle n'aime pas la France parce qu'il fait trop froid et les Français ne sont pas toujours très gentils.
6. On met le couscous sur le balcon parce qu'il fait frais.

6. 1. B
2. A
3. F
4. E
5. D
6. C

7. 1. Possible cognates include: utilisez, satisfaction, attention, magnétique, fragile, démagnétisation, lignes, contrôle, précautions, élémentaires, introduisez, mécaniques, numéro, approchez, utilisé.
2. This is a magnetic strip.
3. It means "Don't bend me."
4. The stamping machine will eat the ticket.
5. An *aimant* is a magnet.
6. When taking a subway ticket out of a purse, you should avoid contact with the magnet on the clasp.

8. 1. *Paquito* and *Joker* are the two brands of orange juice that are advertised.
2. The *nectar d'orange Joker* costs the least per liter. It costs 0,68 € per liter.
3. With the purchase of six *Paquito* juice boxes, you get one free.
4. There are six cans of Pepsi in a package.
5. A can of Pepsi contains 33 centiliters (cl).
6. *Aix les Bains* mineral water is advertised.
7. These items are on sale from Tuesday, June 18, until Saturday, June 29.

Unité 10

1. A. 3
B. 5
C. 1
D. 6
E. 2

F. 4
G. 7

2.	1. B
	2. A
	3. E
	4. D
	5. A
	6. C

3.	There should be an "X" on the following parts of the basketball player's body: head, throat, stomach, heart, arm, finger, toe, knee, neck, ears, eyes, back.

4.	1. Elle a mal à la tête et mal à la gorge.
	2. La grand-mère d'Aurélie vient pour le déjeuner jeudi.
	3. Leïla va parler à Madame Chevalier.
	4. Elle va donner à Aurélie ses devoirs et ses livres d'anglais.
	5. Julien ne peut pas venir chez Aurélie ce soir parce qu'il va au cinéma avec Leïla.
	6. Pour les parents de Leïla, elle va chez Aurélie.

5.	Aurélie = B, E
	Leïla = D, E
	Julien = B

6.	1. B
	2. A
	3. E
	4. D
	5. F
	6. C

7.	1. To get your film developed in Le Château, you can go to *Oléron-Photo*.
	2. The telephone number of the *Banque Nationale de Paris* is 46.47.60.17.
	3. To buy a TV in Le Château, you can go to *Eurotelec*.
	4. To rent a car in Dolus, you can go to *Europcar*.
	5. To get groceries in La Brée-les-Bains, you can go to *Vauzelle*.
	6. If you are concerned about home security in Domino, you can go to *Sécurité Oléronaise*.

8.	1. The name of the zoo is *Zoo de la Palmyre*.
	2. It is located 10 kilometers from Royan.
	3. There are more than 1000 animals and birds.
	4. The show features parrots.
	5. The zoo is open every day of the year.
	6. No, dogs are not admitted to the zoo.

Unité 11

1. Scene 1 = 2 Xs
   Scene 2 = 6 Xs
   Scene 3 = 1 X

2. 1. A
   2. C
   3. C
   4. A
   5. B
   6. C

3. 1. B
   2. C
   3. D
   4. A
   5. A
   6. D
   7. B

4. Vrai = 2, 3, 4, 5
   Faux = 1, 6

5. 1. Il habite à Lille.
   2. Elles veulent toucher des chèques de voyage.
   3. Elles sont arrivées à La Rochelle le premier septembre.
   4. Il ne va pas bien parce que Leïla est partie hier à Paris pour une semaine.
   5. Il préfère Leïla.
   6. Elles arrivent à la plage à trois heures et quart.
   7. Christophe invite les Belges à aller danser ce soir à Saint-Martin dans une boîte.
   8. Il a beaucoup pensé à Leïla.

6. A. 4
   B. 2
   C. 6
   D. 3
   E. 5
   F. 1
   G. 7

7. 1. You can rent a catamaran at *Loca Loisirs*.
   2. *Vélos 17 Loisirs* claims to have a great variety of bikes to choose from.
   3. You can rent a scooter at either of these businesses.

4. Yes, *Vélos 17 Loisirs* has bikes for children.
5. Both businesses offer a special group rate.

8. 1. tournez à droite
    2. allez tout droit
    3. tournez à droite
    4. tournez à droite, tournez à gauche

Unité 12

1. vu = 3 Xs
    été = 4 Xs
    pris = 2 Xs
    fait = 1 X
    eu = 2 Xs
    venu = 1 X

2. 1. A
    2. B
    3. A
    4. C
    5. A
    6. C
    7. B

3. A. 5
    B. 1
    C. 6
    D. X
    E. 2
    F. 4
    G. 3

4. 1. Ils ont visité le Louvre.
    2. Ils ont pris un coca aux Champs-Élysées.
    3. Ils ont fini leur première journée à Paris dans une boîte.
    4. Les tableaux impressionnistes sont au musée d'Orsay.
    5. Pour Julien, la fille la plus formidable est Leïla.

5. Aurélie = C, E
    Leïla = B, E
    Julien = C

6. 1. A
    2. A
    3. C
    4. A
    5. B
    6. C

7. 1. To get a recording with general information about the museum, you call 45.49.11.11.
    2. The *métro* stop is Solférino.
    3. On Sundays in April it closes at 6:00 P.M.
    4. On Thursdays in May it opens at 10:00 A.M.
    5. It is closed on Mondays.
    6. You go to section D.

8. 1. To get information about how to use public transportation in Paris, you click on *Métro/RER/Bus*.
    2. To find out how much it costs to go to the top of the Eiffel Tower, you click on *Monuments*.
    3. To get information about a certain museum's hours, you click on *Musées*.
    4. For information about shopping, you click on *Magasins & Boutiques*.
    5. To find a list of places to get a beverage and a sandwich, you click on *Cafés*.
    6. To see a calendar of special events in Paris, you click on *Calendrier*.
    7. To get information about schools and universities, you click on *Écoles et Facs*.
    8. To find out where train stations are located, you click on *Les Gares de Paris*.